DREI MÄNNER IM SCHNEE

ERICH KÄSTNER

DREI MÄNNER IM SCHNEE

GEKÜRZT UND VEREINFACHT FÜR SCHULE UND SELBSTSTUDIUM

Diese Ausgabe, deren Wortschatz nur die gebräuchlichsten deutschen Wörter umfaßt, wurde gekürzt und vereinfacht und ist damit den Ansprüchen des Deutschlernenden auf einer frühen Stufe angepaßt.

Oehler: Grundwortschatz Deutsch (Ernst Klett Verlag) wurde als Leitfaden benutzt.

HERAUSGEBER
H. E. Jensen
O. Børløs Jensen *Dänemark*

BERATER
Bengt Ahlgren *Norwegen*
Eva Raam - Inghult *Schweden*

Umschlag: Ib Jørgensen
Illustrationen: Oskar Jørgensen

ASCHEHOUG A/S
ISBN Dänemark 87-429-7480-1

Gedruckt in Dänemark von
Sangill Bogtryk & offset, Holme Olstrup

ERICH KÄSTNER

(geb. 1899)

gehört wohl zu den bekanntesten Schriftstellern Deutschlands. Allgemein bekannt ist er als Verfasser von Romanen »für Kinder von 9-90 und darüber« und das ist schade. In erster Linie ist er nämlich ein Moralist und Satiriker. Ganz besonders tritt dies in seinen Gedichten hervor, in denen er, oftmals in ungemein scharfer Form, aber nicht ohne Humor, all das bloßstellt, was Unrecht ist. Aber er hat gesehen, wie wenig ein Verfasser mit solchen Mitteln erreichen kann, denn »Immer wieder kommen Staatsmänner mit großen Farbtöpfen des Wegs und erklären, sie seien die neuen Baumeister. Und immer wieder sind es nur Anstreicher. Die Farben wechseln, und die Dummheit bleibt!" schreibt er einmal. Und dennoch führt er seinen Kampf weiter gegen alles Unechte, gegen den Militarismus, gegen die Bürokratie.

WERKE:

Gedichtsammlungen: Herz auf Taille (1927); Gesang zwischen den Stühlen (1932); Doktor Erich Kästners lyrische Hausapotheke (1936).

Prosa: Emil und die Detektive (1928); Pünktchen und Anton (1931); Fabian (1931); Das fliegende Klassenzimmer (1933); Drei Männer im Schnee (1934); Die verschwundene Miniatur (1935); Der kleine Grenzverkehr (1949); Die Konferenz der Tiere (1949); Das doppelte Lottchen (1949); Als ich ein kleiner Junge war (1957); Notabene 45 (1961).

1 Dienstboten unter sich und untereinander

„Machen Sie nicht solchen Lärm!" sagte Frau Kunkel, die Hausdame. „Sie sollen kein Konzert geben, sondern den Tisch decken."

„Gestern gab es Nudeln mit Rindfleisch", bemerkte Isolde melancholisch. „Heute weiße Bohnen mit Würstchen. Ein Millionär sollte eigentlich einen eleganteren Appetit haben."

Dann knallte die Tür.

Frau Kunkel zuckte zusammen und war allein.

Das Gebäude, von dessen Speisezimmer soeben die Rede war, liegt in jener alten Allee, die von Halensee nach Hundekehle führt. Jedem, der die Straße kennt, wird die Villa aufgefallen sein, weil man sie überhaupt nicht sieht. Wenn man vor dem Tore steht, sieht man den breiten Fahrweg und ein freundliches Gebäude. Hier wohnen die Dienstmädchen, die Köchin, der Chauffeur und die Gärtnersleute. Die Villa selbst ist nicht zu sehen.

An einer grauen Säule, rechts vom Torgitter, entdeckt man ein kleines Namensschild: Tobler.

Tobler? Das ist bestimmt der Millionär Tobler. Der Geheimrat Tobler, dem Banken, Warenhäuser und Fabriken gehören. Und Bergwerke und Schifffahrtslinien.

Tobler besitzt viele Millionen, aber er ist kein Millionär.

Frau Kunkel studierte die Morgenzeitung.

„Tun Sie nicht, als ob Sie lesen könnten!" sagte Johann, der Diener. „Das glaubt Ihnen ja doch niemand."

Frau Kunkel sah ihn giftig an, sagte aber dann: „Heute stehen die Preisträger drin! Den ersten Preis hat ein Doktor aus *Charlottenburg* gekriegt, den zweiten ein gewisser Herr Schulze. Für so ein paar kurze Sätze werden nun die beiden Männer auf vierzehn Tage in die Alpen geschickt."

„Um was handelt es sich eigentlich?" fragte Johann.

„Um das Preisausschreiben der Putzblank-Werke."

Johann nahm die Zeitung. „Dieser Herr Schulze", sagte er, „hat keine Adresse. Er wohnt postlagernd."

„Kann man das?" fragte Frau Kunkel.

„Nein," sagte Johann. „Warum haben Sie eigentlich nicht teilgenommen? Sie hätten einen Preis gekriegt, und man hätte Sie auf vierzehn Tage in die Alpen geschickt. Vielleicht hätten Sie sich den Fuß verstaucht und wären noch länger weggeblieben."

„Ekelhafter Mensch!" sagte Frau Kunkel.

Charlottenburg ist ein Stadtteil von Berlin

Fragen

Warum war Isolde unzufrieden?

Wo lag das Haus, von dem erzählt wird?

Wer wohnte in dem Haus?

Was war Tobler?

Worüber sprachen Frau Kunkel und der Diener Johann?

2 Herr Schulze und Herr Tobler

Es schneite. Vor dem Postamt in der Lietzenburger Straße hielt eine große Limousine. Ein Herr im Pelz stieg aus, ging in das Gebäude und suchte den Schalter für postlagernde Sendungen.

„Ist ein Brief für Eduard Schulze da?" fragte er.

Der Beamte suchte. Dann reichte er einen dicken Brief heraus. Der Herr im Pelzmantel steckte den Brief in die Tasche, dankte und ging.

Als der Herr aus dem Postamt trat, öffnete der Chauffeur schnell die Wagentür. Der Herr stieg ein, und das Auto fuhr davon.

Das Essen hatte geschmeckt. Johann, der Diener, brachte Zigarren, und Fräulein Hilde, Toblers Tochter, stellte Mokkatassen auf den Tisch.

Die Hausdame und der Diener wollten gehen.

„Trinken Sie beide eine Tasse Kaffee mit uns. Ich muß euch allen was erzählen. Ich habe mich nämlich am Preisausschreiben meiner eigenen Fabrik beteiligt und den zweiten Preis gewonnen", sagte Tobler.

„Unmöglich", sagte Frau Kunkel, „den hat ein Herr Schulze gewonnen. Das hab ich in der Zeitung gelesen. Sie wollen uns zum Narren halten."

„Ich könnte mich ja auch unter dem Namen Schulze beteiligt haben", sagte Tobler.

„Das ist möglich", sagte Frau Kunkel. „Da kann man leicht gewinnen, wenn man der Chef ist."

„Kunkel, man sollte Sie mit dem Luftgewehr erschießen", rief Hilde.

„Das habe ich nicht verdient", sagte die dicke alte Dame mit Tränen in den Augen.

„Worin besteht denn der zweite Preis?" fragte Hilde.

„Zehn Tage Aufenthalt im Grandhotel Bruckbeuren. Hin- und Rückfahrt zweiter Klasse", sagte Johann.

„Ich ahne Fürchterliches", sagte Hilde. „Du willst als Schulze auftreten."

Der Geheimrat rieb sich die Hände. „Richtig! Ich reise diesmal nicht als der Millionär Tobler, sondern als ein armer Mann namens Schulze. Ich will die Menschen sehen, wie sie wirklich sind."

„Wann fährst du?" fragte Hilde.

„In fünf Tagen. Morgen kaufe ich ein. Billige Hemden, einen billigen Anzug, und damit genug."

„Wenn sie dich als Landstreicher einsperren, telegraphiere", bat die Tochter.

„Keine Angst, mein Kind. Johann fährt mit. Aber wir werden uns nicht kennen."

Johann saß niedergeschlagen auf seinem Stuhl.

„Morgen bekommen Sie beim Schneider mehrere

neue Anzüge. Sie sollen aussehen wie ein Großherzog, Johann", sagte Tobler.

„Wozu?" fragte Johann. „Ich will doch lieber Ihr Diener sein."

„Wollen Sie lieber hierbleiben?"

„Aber nein," sagte Johann. „Wenn Sie es wünschen, reise ich als Großherzog. Darf ich die ganzen zehn Tage nicht mit Ihnen sprechen?"

„Unter gar keinen Umständen. Richtig, einen Skianzug müssen Sie auch haben."

„Ich kann nicht Skifahren", antwortete Johann.

„Dann werden Sie es lernen."

Johann sank in sich zusammen. „Darf ich wenigstens manchmal in Ihr Zimmer kommen und aufräumen? Ich werde bestimmt nur kommen, wenn niemand auf dem Korridor ist."

„Vielleicht", sagte der Geheimrat.

Johann sah wieder ganz froh aus.

Fragen

Was wollte Tobler auf der Post?

Was erzählte Tobler nach dem Essen?

Warum konnte Frau Kunkel nichts davon verstehen?

Was meinte Hilde von der ganzen Geschichte?

Wer sollte mitkommen?

Warum konnte er nicht als Diener reisen?

3 Mutter Hagedorn und Sohn

Als Doktor Hagedorn heimkam, stand seine Mutter am Waschfaß. Sie trocknete schnell ihre Hände und gab ihm den Brief.

„Ich weiß schon," sagte er. „Ich habe es in der Zeitung gelesen. Lieber wollte ich eine Anstellung. Ich war auch schon in den Putzblank-Werken. Der Direktor freute sich, den ersten Preisträger persönlich kennenzulernen. Eine Stellung war aber dort nicht frei. Ich schlug ihm vor, mir Geld zu geben statt der Reise. Aber das war auch nicht möglich."

Herr Hagedorn stellte sich mißmutig an den Ofen und wärmte seine kalten Finger.

„Kopf hoch", sagte seine Mutter. „Jetzt fährst du erst einmal zum Wintersport. Das ist besser als gar nichts."

„Ja, und du kannst nicht mit! Da soll man nicht schimpfen dürfen? Diese Putzblank-Werke gehören dem Tobler, einem der reichsten Männer, die der Mond bescheint. Wenn man diesen alten Onkel einmal zu fassen kriegte!"

„Nun weine mal nicht", sagte Frau Hagedorn. „Heute abend gehen wir ins Kino. Da gibt es einen Hochgebirgsfilm."

„Gern," sagte Doktor Hagedorn. „Wenn ich mal König von England werde, bekommst du von mir den Hosenbandorden."

Fragen

Warum wollte Herr Hagedorn nicht gern nach Bruckbeuren?

Was wollte er lieber?

4 Gelegenheitskäufe

An den folgenden Tagen besorgte sich Geheimrat Tobler seine Expeditionsausrüstung: uralte Schlipse, drei in schreienden Farben gestreifte Flanellhemden, zwei *vergilbte Mako*hemden und ein Paar vernickelte Manschettenknöpfe, Wollsocken und ein Paar schwere lederne Stiefel. Bei einem Altwarenhändler kaufte er am Tag der Abreise den Anzug, einen violetten, der außerdem reichlich klein war. Auf dem Boden suchte er sich den Rest seiner Ausrüstung zusammen: Ein Paar verrostete Schlittschuhe, einen alten Sweater, eine gestrickte, knallrote Mütze, einen altmodischen Mantel und noch anderes mehr.

Und zur gleichen Zeit war der Schneider da und paßte dem Johann, dem Diener, neue, elegante Anzüge an: Jacketts, den Smoking, die Skijoppe und den Frack. Johann stand unglücklich da.

„Gibt es in Bruckbeuren eigentlich Kostümfeste?" fragte Johann den Geheimrat.

„Selbstverständlich. Wollen Sie sich denn kostümieren?"

Johann zog seine Dienerjacke an und sagte: „Als Diener!"

Ausrüstungsgegenstände

---

vergilbt: vor Alter gelb geworden
Mako: Baumwolle

Im Arbeitszimmer des Geheimrats lag seine Ausrüstung. Als Frau Kunkel die Sachen sah, sagte sie: ,,Das überlebe ich nicht!"

,,Wie Sie wollen", sagte Tobler. ,,Aber erst packen Sie die Sachen in den Reisekorb."

Hilde sagte: ,,Übermorgen bist du wieder daheim, lieber Vater. Sie werden dich hochkantig hinauswerfen."

,,Wißt ihr, was ich dann tue?"

Sie blickten ihn gespannt an.

,,Dann kaufe ich das Hotel und schmeiße die andern hinaus!"

Als Johann und der Geheimrat gegangen waren, meldete Hilde hastig ein dringendes Telephongespräch mit Bruckbeuren an.

,,Lassen Sie niemand herein", befahl sie Frau Kunkel.

,,Nur über meine Leiche", versicherte die.

,,Auch dann nicht", meinte Hilde.

Dann klingelte das Telephon. Hilde verlangte den Hoteldirektor und sagte: ,,Sie sind der Direktor des Hotels? Gut! Morgen trifft der Preisträger der Putzblank-Werke bei Ihnen ein. Dieser Gast tritt als armer Mann auf, obwohl er Millionär ist. Er will die Menschen studieren. Sie müssen ihn behandeln wie einen armen Mann und trotzdem so, wie er es gewöhnt ist. Er sammelt Briefmarken. Er muß jeden zweiten Tag massiert werden. Abends muß ein warmer Ziegelstein in sein Bett. Nudeln mit Rindfleisch ißt er am liebsten. Französischen Kognak trinkt er besonders gern. Und siamesische Katzen hat er in seinem Zimmer. Besorgen Sie ihm einige."

,,Der Geheimrat kommt", flüsterte Frau Kunkel.

„Guten Tag", sagte Hilde und legte schnell den Hörer auf.

Der Chauffeur fuhr sie zum Bahnhof. Hilde und Frau Kunkel kamen mit. Tobler liebte es, wenn man seinetwegen mit Taschentüchern winkte.

„Vergessen Sie es nicht, Johann", sagte Tobler. „Ab morgen kennen wir uns nicht mehr. Ich bin dann Herr Schulze."

„Darf ich Ihnen denn gar nicht helfen?"

„Nein!"

Dann fuhr der Zug ab. Hilde und Frau Kunkel winkten. Der Geheimrat nickte vergnügt. Und eine kleine alte Frau, die neben dem Zug hertrippelte, stieß mit Hilde zusammen.

„Willst du dich wohl vorsehen!" rief ein junger Mann, der sich aus einem Fenster beugte.

„Komm du nur wieder nach Hause, mein Junge!" antwortete die Frau und schwenkte drohend den Schirm.

„Auf Wiedersehen!" rief er noch. Hilde und er sahen einander flüchtig ins Gesicht.

Dann rollte der letzte Wagen vorbei.

Fragen

Was kaufte Tobler ein?

Und was bekam zur gleichen Zeit der Diener Johann?

Was zeigte Tobler nach dem Abendessen?

Was tat Hilde, als Tobler aus dem Zimmer gegangen war?

Mit wem stieß Frau Hagedorn auf dem Bahnsteig zusammen?

5 Grandhotel Bruckbeuren

Das Grandhotel in Bruckbeuren ist ein Hotel für Stammgäste. Man ist schon Stammgast, oder man wird es. Andere Möglichkeiten gibt es kaum.

So verschieden nun diese Stammgäste sein mögen. Geld haben sie alle.

Den Stammgästen entspricht ein Stammpersonal. Die Skilehrer bleiben selbstverständlich die gleichen. Und auch die Kellner und Köche, Stubenmädchen und Hausburschen kehren zu Beginn der Wintersaison, so gewiß wie der Schnee, zurück. Der Geschäftsführer, Herr Direktor Kühne, hat seinen Posten seit zehn Jahren. Er zieht zwar den Aufenthalt in Gottes freier Natur dem Hotelberuf vor. Aber hat er damit Unrecht? Er verschwindet nach dem Frühstück in den Bergen und kommt mit der Dämmerung zurück. Abends tanzt er mit den Damen. Er wird wohl Direktor bleiben.

Der Hotelbetrieb funktioniert trotzdem tadellos. Das liegt an Polter, dem ersten Portier. Er liebt das Grandhotel wie sein eigenes Kind. Er hat einen weißen Schnurrbart, Sprachkenntnisse und beachtliche Plattfüße. Sein hochentwickeltes Gerechtigkeitsgefühl hindert ihn daran, zwischen den Gästen und den Angestellten größere Unterschiede zu machen. Er ist zu beiden gleich streng.

Im Grandhotel Bruckbeuren erwartete man den telephonisch angemeldeten, geheimnisvollen Millionär. Herr Kühne, der Direktor, hatte schon am frühen Morgen das gesamte Personal informiert.

„Mal herhören!" hatte er geäußert. Heute abend trifft ein armer Mann, der ein Preisausschreiben gewonnen hat, ein. Dafür kriegt er von uns Kost und Logis. Er ist aber kein armer Mann – sondern ein Millionär. Er will die Menschen kennenlernen. Einfach tierisch! Unser armer Millionär wird im Appartement 7 wohnen. Er wird fürstlich behandelt, und Nudeln mit Rindfleisch mag er am liebsten. Er darf aber nicht merken, daß wir wissen, wer er ist. Verstanden?"

Die siamesischen Katzen kamen am Nachmittag an. Drei kleine Katzen. Sie hüpften fröhlich im Appartement 7 hin und her, tätowierten die Stubenmädchen und hatten, bereits nach einer Stunde, zwei Gardinen und einen Sessel erledigt.

Onkel Polter, der Portier, sammelte Briefmarken.

Schon hatte er Marken aus Java, Kapstadt, Grönland und Mandschukuo in der Schublade liegen.

Der Masseur war für den nächsten Vormittag bestellt. Eine Flasche Kognak, echt französisch, stand auf dem Nachttisch. Der Ziegelstein, der abends warm und in wollene Tücher gewickelt, am Fußende des Bettes liegen würde, war auch gefunden. Die Vorstellung konnte beginnen!

Während des Fünfuhrtees in der Hotelhalle erfuhr Direktor Kühne, Karl den Kühnen nannten ihn die Hotelgäste, eine Neuigkeit. Die Stammgäste wußten schon alles! Mehrmals wurde er von den Gästen angehalten, die den Namen des armen Millionärs wissen wollten. Kühne drehte sich unhöflich um und rannte zum Portier. „Einfach tierisch!" stieß er hervor. „Die Gäste wissen es schon. Das Personal muß *getratscht* haben."

„Nein, das Personal nicht", sagte Polter. „Sondern Baron Keller."

„Und woher weiß es der Baron?"

„Von mir natürlich", sagte Onkel Polter. „Ich habe ihn aber ausdrücklich gebeten, es nicht weiter zu erzählen."

„Sie wissen ganz genau, daß er tratscht", meinte Kühne wütend.

„Deswegen habe ich's ihm ja mitgeteilt", erwiderte der Portier. „Die Stammgäste mußten informiert werden. Erstens sinkt das Barometer, und wenn die Leute ein paar Tage nicht skifahren können, werden sie ungemütlich. Da ist der Millionär eine gute Abwechslung. Und zweitens sind nun Klagen unmöglich gemacht. Stellen Sie sich vor, die Gäste würden

---

tratschen: etwas weitererzählen

den Mann hier so unhöflich behandeln, daß er abreist. Er würde unser Hotel zugrunde richten. Geld genug hat er ja."

Karl der Kühne drehte sich um und ging in sein Büro.

Fragen

Was für Gäste kamen ins Grandhotel Bruckbeuren?

Wen erwartete man im Grandhotel?

Wer erklärte dem Personal, was geschehen sollte?

Was tat der Portier, Onkel Polter?

Warum hatte er das getan?

6 Zwei Mißverständnisse

Der Münchner Abendschnellzug hielt in Bruckbeuren. Zirka dreißig Personen stiegen aus. Herr Johann Kesselhuth aus Berlin blickte besorgt zu einem ärmlich gekleideten älteren Mann hinüber, der einsam im tiefen Schnee stand und einen alten Reisekorb trug.

„Wollen Sie ins Grandhotel?" fragte ein Chauffeur.

Zögernd stieg Herr Kesselhuth in den Autobus. Dann lag der Bahnhofplatz leer da.

Nur der arme Mann, Herr Schulze, stand auf dem alten Fleck. Er blickte zum Himmel hinauf, lächelte kindlich, hob den Reisekorb auf die Schulter und marschierte die Dorfstraße entlang. Hierbei pfiff er.

Der Autobus bremste und stand still. Die späten Gäste betraten das Hotel. Wer die Zimmer vorausbestellt hatte, wurde sofort zum Fahrstuhl geleitet. Herr Johann Kesselhuth und ein junger Mann mit einem alten Koffer und einem schlechten Herbstmantel blieben übrig.

Herr Kesselhuth wandte sich an den Portier: „Ich möchte ein schönes, sonniges Zimmer. Mit Bad und Balkon. Der Preis spielt keine Rolle." Er wurde rot.

Der Portier überhörte die Bemerkung. „Zimmer 31 ist noch frei. Wollen Sie bitte das Anmeldeformular ausfüllen?"

Herr Kesselhuth nahm das Formular und notierte sorgfältig seine Personalien.

Nun blickten alle Gäste in der Halle auf den jungen Mann in dem schlechten Herbstmantel.

Karl der Kühne war ganz aufgeregt. „Womit können wir Ihnen dienen?" fragte er.

Der junge Mann lächelte und sagte: „Ich heiße Hagedorn und habe den ersten Preis der Putzblank-Werke gewonnen. Hoffentlich wissen Sie Bescheid."

„Wir wissen Bescheid", sagte der Direktor und verbeugte sich. „Herzlich willkommen. Es wird uns eine Ehre sein, Ihnen den Aufenthalt so angenehm wie möglich zu machen."

Hagedorn stutzte. Er sah sich um und merkte, daß ihn die Gäste neugierig anstarrten. Auch Herr Kesselhuth hatte den Kopf gehoben.

„Welches Zimmer bekommt Herr Hagedorn?"

„Ich denke, wir geben ihm das Appartement 7", sagte der Portier.

Der Direktor nickte. Der Hausdiener ergriff Hagedorns Koffer und fragte: „Wo ist das große Gepäck?"

„Nirgends", erwiderte der junge Mann.

Der Portier und der Direktor lächelten.

„Dürfen wir Sie nachher zum Abendessen erwarten? Es gibt Nudeln und Rindfleisch", sagte Karl der Kühne.

„Das allein wäre kein Hinderungsgrund", sagte der junge Mann. „Aber ich bin satt."

Herr Kesselhuth sah wieder vom Formular auf.

„Aber wir sehen Sie doch nachher?" fragte der Direktor.

„Natürlich", sagte Hagedorn. Dann suchte er sich eine Ansichtskarte aus, ließ sich eine Briefmarke geben und bezahlte beides, obwohl der Portier es anschreiben wollte.

„Interessieren Sie sich übrigens für Briefmarken?" fragte Onkel Polter. Er holte ausländische Marken heraus und breitete sie vor Hagedorn aus.

Hagedorn verstand nichts. Er betrachtete die Marken und sagte dann: „Ich habe keine Kinder. Vielleicht aber bekomme ich welche." Dann steckte er die Marken in die Tasche.

„Darf ich also weitersammeln?" fragte Polter.

„Tun Sie das. Es ist ja wohl ungefährlich", sagte Hagedorn und ging zum Fahrstuhl.

Herr Kesselhuth legte sein ausgefülltes Formular beiseite. „Wieso sammeln Sie für diesen Herrn Briefmarken? Und warum gibt es seinetwegen Nudeln mit Rindfleisch?"

Onkel Polter gab ihm den Schlüssel und meinte: „Es gibt komische Menschen. Dieser junge Mann zum Beispiel ist ein Millionär. Er darf nur nicht wissen, daß wir es wissen. Wir wurden aber telephonisch auf ihn vorbereitet. Haha!"

„Ein reizender Mensch", sagte der Direktor. „Ich

bin gespannt, was er zu den siamesischen Katzen sagen wird!"

Herr Kesselhuth wäre fast umgefallen. „Siamesische Katzen?" murmelte er. Sollte er nicht lieber den zweiten armen Mann, der im Anmarsch war, bewegen umzukehren?

Eine Gruppe Gäste kam in die Halle.

„Ein bezaubernder Bengel", rief Frau Casparius, eine muntere Bremerin. Frau von Mallebré warf ihr einen Blick zu.

„Wie heißt er denn nun eigentlich?" fragte Herr Lenz, ein dicker Kölner Kunsthändler.

„Doktor Fritz Hagedorn", sagte Johann Kesselhuth.

„Sie kennen ihn!" rief Direktor Kühne begeistert.

„Nein, ich kenne ihn nicht."

Die anderen lachten. Frau Casparius drohte schelmisch mit dem Finger.

Johann Kesselhuth wußte nicht aus noch ein. Dann erklang der Gong. Die Gruppe ging in den Speisesaal, denn man hatte Hunger.

Kesselhuth setzte sich gebrochen an einen Tisch in der Halle. Eins stand fest: Fräulein Hilde und die dumme Kunkel hatten gestern abend telephoniert.

Der arme Mann, der seinen Reisekorb durch den Schnee schleppte, hatte kalte, nasse Füße. Er blieb stehen. Die ledernen Stiefel drückten. Der Reisekorb war schwer, der violette Anzug war zu eng. „Ich könnte mich selbst ohrfeigen", sagte er und marschierte weiter.

Als er in das Hotel trat, erhob sich ein elegant gekleideter Herr. Ach nein. Das war ja Johann!

Kesselhuth näherte sich bedrückt dem armen Mann. Aber Herr Schulze kehrte ihm den Rücken und studierte ein Plakat, auf dem zu lesen war, daß am übernächsten Abend im Grandhotel ein *Lumpen*ball stattfinden werde. Da brauch ich mich wenigstens nicht umzuziehen, dachte er getröstet.

Der Portier musterte den armen Mann und fragte dann Herrn Kesselhuth: „Haben Sie einen Wunsch?"

Der sagte: „Ich muß ab morgen skifahren. Glauben Sie, daß ich's noch lernen werde?"

„Aber natürlich!" meinte der Portier. „Das haben noch ganz andere gelernt. Am besten nehmen Sie einen Privatlehrer, damit Ihnen beim Hinfallen nicht immer dreißig Leute zuschauen."

---

die Lumpen: alte, zerrissene Kleider

„Ist das Hinfallen sehr gefährlich?"

„Kaum", meinte der Portier. „Außerdem haben wir hier sehr tüchtige Ärzte, die jeden Beinbruch so fein heilen, daß die Beine nachher noch schöner sind als vorher."

Da mußte der arme Mann, der das Plakat studiert hatte, laut lachen.

Der Portier sah ihn an und sagte: „Wir kaufen nichts! Was wollen Sie hier?"

„Wohnen", sagte der arme Mann und kam lächelnd näher. „Ich heiße nämlich Schulze und bin der zweite Gewinner des Preisausschreibens der Putzblank-Werke. Hier sind meine Papiere!"

Onkel Polter verstand die Welt nicht mehr. „Einen Augenblick", murmelte er verwirrt und trabte zum Büro des Direktors.

Schulze und Kesselhuth waren einen Augenblick allein. „Herr Geheimrat", meinte Johann verzweifelt, „wollen wir nicht lieber wieder abreisen?"

„Noch ein Wort", sagte der Geheimrat, „und ich schlage Sie mit der bloßen Hand tot! Fort mit Ihnen!" Kesselhuth gehorchte und setzte sich an einen Tisch in der Halle.

Die Fahrstuhltür öffnete sich und Herr Hagedorn trat heraus. Er steuerte auf die Portierloge zu und hielt eine Postkarte in der Hand.

Kesselhuth sah schwarz. Gleich würden der echte und der falsche Millionär aufeinandertreffen!

Hagedorn sah sich suchend um. „Entschuldigen Sie", sagte er dann. „Ich bin eben erst angekommen. Wissen Sie vielleicht, wo der Briefkasten ist?"

„Auch ich bin eben angekommen", erwiderte der arme Mann. „Und der Briefkasten ist hinter der zweiten Glastür links."

„Danke", sagte Hagedorn, ging hin, warf die Karte ein, kam zurück und fragte „Haben Sie noch kein Zimmer?"

"Nein", sagte der andere. „Man weiß anscheinend nicht, ob man mich unter diesem bescheidenen Dach überhaupt wohnen lassen kann."

„Hier ist alles möglich", lächelte Hagedorn. „Erlauben Sie, daß ich Ihren Namen rate? Ich glaube, Sie heißen Schulze! Stimmt's? Und Sie haben bei den Putzblank-Werken den zweiten Preis gewonnen."

„Es stimmt", sagte Schulze. Er dachte nach. Plötzlich strahlte er und sagte: „Dann sind Sie wohl Herr Doktor Hagedorn!"

„Jawohl, ja", sagte Herr Hagedorn. Sie lachten und gaben einander die Hand. Dann setzten sie sich auf den Reisekorb und begannen, über Reklame zu sprechen.

Herr Kesselhuth staunte. Dann erhob er sich, ging auf sein Zimmer und begann auszupacken.

Als Polter mit Kühne zurückkam, saßen die beiden noch immer auf dem Reisekorb und unterhielten sich. Der Portier hielt den Direktor am Smoking fest. „Da", stieß er hervor. „Unser verkleideter Millionär und Herr Schulze!"

„Einfach tierisch!" sagte Herr Kühne. „Ich transportiere den Schulze in die leerstehende Mädchenkammer. Und Sie entschuldigen uns beim Millionär, daß er ausgerechnet in unserem Hotel einen echten armen Mann kennenlernen mußte. Hinauswerfen können wir ihn ja nicht. Das wird er verstehen. Vielleicht aber reist er schon morgen ab. Hoffentlich. Sonst reisen womöglich unsere Stammgäste!"

,,Bringen Sie ihn nur schnell fort, ehe die andern Gäste kommen'', sagte Onkel Polter.

,,Willkommen'', sagte Direktor Kühne zu Herrn Schulze. ,,Darf ich Ihnen Ihr Zimmer zeigen?''

Schulze ergriff den Reisekorb.

Hagedorn sah Schulze freundlich an. ,,Lieber Herr Schulze, ich sehe Sie doch noch?''

,,Herr Schulze wird von der langen Reise müde sein'', meinte der Direktor.

,,Da irren Sie sich aber'', sagte Schulze. Und zu Hagedorn sagte er: ,,Lieber Herr Hagedorn, wir sehen uns noch.'' Dann folgte er dem Direktor zum Fahrstuhl.

,,Entschuldigen Sie, daß Sie gerade diesen Gast als ersten kennenlernen mußten. Er paßt nicht hierher'', sagte der Portier zu Herrn Hagedorn.

,,Ich auch nicht'', meinte der.

,,Ich weiß, ich weiß'', sagte der Portier verstehend.

,,Entschuldigen Sie'', fragte Hagedorn. ,,Haben alle Gäste Katzen in ihrem Zimmer?''

,,Das ist ganz verschieden'', antwortete Onkel Polter. Dann sagte er: ,,Morgen kommt der Masseur auf Ihr Zimmer, um Sie zu massieren.''

,,Ich habe aber kein Geld'', sagte Hagedorn.

,,Aber Herr Doktor!'' sagte der Portier.

,,Also massiert werde ich auch gratis?'' fragte Hagedorn. ,,Na gut.''

Er ging lächelnd in die Halle.

Der Fahrstuhl ging nur bis in den vierten Stock. Von hier kletterten Karl der Kühne und Schulze in den fünften Stock und gingen einen langen Gang hinunter. Ganz am Ende machte der Direktor eine Tür auf, drehte das Licht an und sagte: ,,Das Hotel ist nämlich ganz besetzt."

Schulze blickte fassungslos in das aus Bett, Tisch, Stuhl, Waschtisch und schiefen Wänden bestehende Kämmerchen und sagte: ,,Kleinere Zimmer haben Sie nicht?"

Der Direktor biß sich auf die Unterlippe und sagte: ,,Leider nein."

,,Schön kalt ist es hier", meinte Schulze. ,,Glücklicherweise hat mein Arzt mir verboten, in geheizten Zimmern zu schlafen. Die übrige Zeit aber werde ich mich in den Gesellschaftsräumen aufhalten. Denn zum Erfrieren bin ich nicht hergekommen."

,,Sobald ein besseres Zimmer frei wird, bekommen Sie es", sagte Karl der Kühne. Dann ging er.

Schulze hatte die größte Lust, ihm mit einem Fußtritt nachzuhelfen. Doch er beherrschte sich.

,,Den Fußtritt sparen wir uns für später auf", sagte der Geheimrat Tobler zu sich selbst.

Fragen

Wie sah der Mann aus, der nicht mit dem Bus kam?

Wie wurde Herr Hagedorn empfangen?

Welches Zimmer bekam Herr Hagedorn?

Was glaubte der Portier von Herrn Hagedorn?

Was wollten die andern Gäste von Herrn Kesselhuth wissen?

Wie ging es dem armen Mann im Hotel?

Wo mußte er wohnen?

Mit wem sprach Herr Hagedorn in der Vorhalle?

Was sagte der Direktor, als er das sah?

Was hatte Herr Hagedorn in seinem Zimmer?

7 Siamesische Katzen

Das erste Mißverständnis sollte nicht das letzte bleiben. Während Kesselhuth den Smoking anzog, und Schulze, dicht unterm Dach, den Reisekorb auspackte, saß Hagedorn in der Halle, rauchte eine Zigarette und überlegte. Er war nervös. Weswegen waren die Menschen alle so freundlich zu ihm? Er dachte dann:

„Hoffentlich kommt dieser alte Schulze bald wieder. Bei dem weiß man doch, woran man ist!"

Frau Casparius segelte hastig durch die großen Halle.

„Eine widerliche Person", sagte die Mallebré.

Baron Keller fragte: „Inwiefern?"

Frau von Mallebré lachte böse: „Sie will sich den kleinen Millionär kapern."

Frau Casparius, die Blondine aus Bremen, hatte ihr Ziel erreicht. Sie saß neben Hagedorn in der Halle.

Hagedorn schwieg. Frau Casparius beschrieb unterdessen die Zigarrenfabrik ihres Mannes.

„Darf ich auch einmal etwas sagen, gnädige Frau?" fragte der junge Mann bescheiden.

„Bitte sehr?"

„Haben Sie siamesische Katzen im Zimmer?"

„Nein", erwiderte sie. „In meinem Zimmer bin ich das einzige lebende Wesen."

„Dann möchte ich nur wissen, weswegen sich in meinem Zimmer drei siamesische Katzen aufhalten."

„Kann man die Tierchen mal sehen? "fragte sie. „Ich liebe Katzen über alles."

„Ich habe wenig Erfahrung mit Katzen", sagte er unvorsichtigerweise.

Sie machte veilchenblaue Augen und erklärte mit dichtverschleierter Stimme: „Dann hüten Sie sich, lieber Doktor. Ich bin eine Katze."

Frau von Mallebré und Baron Keller setzten sich an den Nebentisch, und bald war der Tisch, an dem Hagedorn saß, von neugierigen Gästen umgeben.

Frau Casparius beugte sich vor: „Schrecklich, diese Leute! Kommen Sie! Zeigen Sie mir Ihre Katzen!"

Ihm war das Tempo neu. „Ich glaube, sie schlafen schon", sagte er.

„Wir werden sie nicht aufwecken", sagte sie. „Wir werden ganz leise sein."

Da brachte der Kellner ihm eine Karte, worauf stand: „Der Unterzeichnete, der zum Toblerkonzern Beziehungen hat, möchte Herrn Hagedorn gern auf einige Minuten in der Bar sprechen. Kesselhuth."

Der junge Mann stand auf: „Verzeihen Sie, gnädige Frau", sagte er. „Mich will jemand sprechen, der mir von größtem Nutzen sein kann." Nach diesen Worten und einer Verbeugung ging er.

Frau Casparius lächelte dumm.

Herr Kesselhuth gratulierte zum ersten Preis der Putzblank-Werke. Dann lud er den jungen Mann zu einem Genever ein. Sie setzten sich in eine Ecke. Kesselhuth bestellte zwei Genever und sagte: „Ich will Sie fragen, ob ich Ihnen helfen kann."

„Es wäre großartig, wenn Sie mir helfen würden. Ich kann's gebrauchen." Dann trank er einen Schluck. „Seit Jahren bin ich stellungslos. Ich will aber gern arbeiten und etwas Geld verdienen. Stattdessen helfe ich meiner Mutter ihre kleine Rente auffressen. Es ist scheußlich.

Kesselhuth blickte ihn freundlich an: „Sie sind Reklamefachmann?"

„Jawohl!" sagte Hagedorn. „Und keiner der schlechtesten, wenn ich es so sagen darf."

Herr Kesselhuth nickte. „Sie dürfen!"

„Ich könnte meiner Mutter heute noch schreiben, daß sie meine Arbeiten hierher schicken soll. In drei Tagen haben wir sie hier. Was meinen Sie, Herr Kesselhuth? Verstehen Sie etwas von Reklame?"

Johann schüttelte den Kopf. „Ich möchte mir die Arbeiten trotzdem ansehen und dann gebe ich", er verbesserte sich hastig, „schicke ich sie mit ein paar Zeilen an Geheimrat Tobler."

Hagedorn wurde blaß. „An wen wollen Sie die Arbeiten schicken?" fragte er.

„An Geheimrat Tobler", erklärte Kesselhuth. „Ich kenne ihn seit zwanzig Jahren."

„Wenn er sich die Sachen ansieht, gefallen sie ihm bestimmt", sagte der junge Mann. Er stand auf. „Darf ich meiner Mutter eine Eilkarte schicken? Sehe ich Sie dann noch?"

„Ich würde mich sehr freuen", sagte Kesselhuth.

Hagedorn ging. An der Tür kehrte er noch einmal

um. „Eine kleine Frage, Herr Kesselhuth. Haben Sie Katzen im Zimmer?"

„Nicht, daß ich wüßte", meinte der.

Frau von Mallebré, die Hagedorn kommen sah, gab Baron Keller einen Wink. Keller erhob sich, stellte sich vor und sagte: „Darf ich Sie mit einer charmanten Frau bekannt machen?"

Hagedorn erwiderte ärgerlich: „Ich bitte darum." Er blieb ungeduldig stehen.

„Ich fürchte, wir halten Sie auf", sagte Frau von Mallebré.

„Leider muß ich Ihnen recht geben. Post! Geschäfte!" sagte Hagedorn.

„Sie sind doch hier, um sich zu erholen."

„Das ist ein Irrtum", antwortete er und ging.

Auf der Treppe traf Hagedorn Herrn Schulze. „Ich friere wie ein Schneider", sagte Schulze. „Ist Ihr Zimmer auch ungeheizt?"

„Aber nein", antwortete Hagedorn. „Wollen Sie sich bei mir einmal umschauen? Ich muß eine Karte nach Hause schreiben. Denken Sie! Ich habe eben mit einem Herrn gesprochen, der den alten Tobler persönlich kennt! Was sagen Sie dazu?"

„Man sollte es nicht für möglich halten", sagte Schulze und folgte dem jungen Mann.

Hagedorn machte Licht. Schulze glaubte zu träumen. Er erblickte einen Salon, ein Schlafzimmer, und ein gekacheltes Bad. „Was soll das heißen", dachte er. „Warum habe ich die elende Dachkammer bekommen und er dies Appartement? So viel besser war seine Lösung nicht".

„Trinken Sie einen Schnaps?" fragte der junge Mann. Er schenkte französischen Kognak ein, und sie sagten „Prost!"

Da klopfte es.

Es erschien das Zimmermädchen. ,,Ich wollte nur fragen, ob ich den Ziegelstein bringen soll.''

,,Verstehen Sie das?'' fragte Hagedorn.

,,Noch nicht ganz'', erwiderte Schulze. Und zu dem Zimmermädchen sagte er: ,,Der Herr Doktor geht noch nicht schlafen. Bringen Sie ihn später.''

Das Mädchen ging.

,,Haben Sie auch ein Zimmermädchen mit geheizten Ziegelsteinen?'' fragte Hagedorn.

,,Nein'', meinte Schulze. ,,Französischen Kognak auch nicht.'' Er grübelte.

,,Auch keine siamesischen Katzen?'' fragte der andere und zeigte auf das Körbchen.

Herr Schulze griff sich an die Stirn. Dann ging er in die Kniebeuge und betrachtete die kleinen schlafenden Tiere. Dabei kippte er um. Ein Kätzchen erwachte, reckte sich, stieg aus dem Korb und nahm auf Schulzes violetter Hose Platz.

Hagedorn schrieb die Karte an seine Mutter.

Schulze legte sich auf den Bauch und spielte mit der kleinen Katze. Dann wurde die zweite wach und kam auch auf den Teppich spaziert. Schulze hatte alle Hände voll zu tun. Die zwei Katzen spielten auf dem älteren Herrn. ,,Ich fühle mich wie zu Hause'', dachte er. Und als er das gedacht hatte, ging ihm ein großes Licht auf.

Als Hagedorn mit der Karte fertig war, legte Schulze die zwei Katzen in den Korb zurück. ,,Ich besuche euch bald wieder'', sagte er. ,,Nun schlaft aber.''

Sie gaben dem Zimmermädchen die Karte, und dann sagte Schulze: ,,Nun müssen Sie aber auch mein Zimmer sehen.'' Beide gingen zum Fahrstuhl.

„Der nette Herr, der den alten Tobler so gut kennt, heißt Kesselhuth", erzählte Hagedorn. „Er hat mich gefragt, ob er mir beim Toblerkonzern behilflich sein soll. Ob er das wohl überhaupt kann?"

„Wenn er den alten Tobler gut kennt, sicher", meinte Schulze.

„Aber wie kommt ein fremder Mensch eigentlich dazu, mir helfen zu wollen?"

„Sie werden ihm sympathisch sein", sagte Schulze. „Außerordentlich sympathisch sogar!"

„Entschuldigen Sie", meinte der junge Mann. „Ist das Ihre persönliche Meinung?" Er wurde rot.

Schulze erwiderte: „Ganz gewiß!" Nun war auch er verlegen.

„Fein", sagte Hagedorn. „Mir geht's mit Ihnen ganz genau so."

Sie schwiegen. Im vierten Stock stiegen sie aus und gingen die Treppe hinauf. „Sie wohnen wohl auf dem Blitzableiter?" fragte der junge Mann. „Noch höher", erklärte Schulze.

„Herr Kesselhuth will dem Tobler meine Arbeiten schicken", berichtete Hagedorn.

„Ich werde die Daumen halten", sagte der andere.

Sie schritten den schmalen Korridor entlang. Ganz am anderen Ende des Korridors schloß Schulze die Tür zu der Dachkammer auf und machte Licht.

Hagedorn starrte verständnislos in die elende Kammer. Nach längerer Zeit sagte er: „Machen Sie keine Witze!"

„Treten Sie näher!" bat Schulze. „Setzen Sie sich."

Der andere klappte den Jackettkragen hoch und steckte die Hände in die Taschen.

„Kälte ist gesund", meinte Schulze.

Hagedorn blickte sich suchend um. ,,Nicht einmal ein Schrank ist da", sagte er. ,,Können Sie sich das Ganze erklären? Mir gibt man ein hochfeines Appartement, und Sie sperrt man in eine hundekalte Bodenkammer!"

,,Vielleicht hält man Sie für den Thronfolger von Albanien. Oder den Sohn eines Multimillionärs."

,,Sehe ich so aus?" fragte Hagedorn. ,,Ich bin kein Thronfolger und kein Millionär. Ich bin ein armer Kerl." Er schlug wütend auf den Tisch. ,,Ich gehe sofort zum Hoteldirektor und erzähle ihm, daß ich hier oben neben Ihnen wohnen will!" Er war schon an der Tür.

Tobler hielt den andern zurück. ,,Lieber Hagedorn. Machen Sie keine Dummheiten. Davon haben wir beide nichts. Behalten Sie Ihr Zimmer. Dann weiß ich, wo ich hingehen kann, wenn es mir hier oben zu kalt wird. Lassen Sie sich eine Flasche französischen Kognak nach der anderen bringen. Was schadet es denn?"

,,Und morgen kommt der Masseur", sagte Hagedorn.

,,Massage ist gesund", lachte Schulze.

,,Ich weiß", sagte Hagedorn. Er schlug sich vor die Stirn. ,,Und der Portier sammelt Briefmarken!" Er warf das Kuvert mit den Briefmarken wütend auf den Tisch. Tobler besah sich die Marken und steckte sie ein.

,,Ziehen Sie in mein Zimmer", sagte Hagedorn. ,,Wir sagen, Sie seien der Thronfolger. Ich will dann hier wohnen."

,,Nein", sagte Schulze. ,,Für einen Thronfolger bin ich zu alt. Und wer würde glauben, ich sei Millionär."

„Das ist es ja", sagte Hagedorn. „Aber bevor wir abreisen, sagen wir dem Direktor die Wahrheit."

„Das eilt nicht", sagte Schulze. „Bleiben Sie vorläufig ein Rätsel!"

Fragen

Wer besuchte Herrn Hagedorn?

Was meinten Frau Mallebré und Frau Casparius voneinander?

Worüber sprachen Herr Kesselhuth und Herr Hagedorn?

Was wollte Herr Kesselhuth an Geheimrat Tobler schicken?

Wen traf Herr Hagedorn auf der Treppe?

Wohin gingen die beiden?

Was zeigte Herr Schulze nachher Herrn Hagedorn?

8 Der Schneemann Kasimir

Als die beiden miteinander durch die Halle gingen, war die Empörung groß. Wie konnte der geheimnisvolle Millionär mit dem einzigen armen Teufel im Hotel zusammengehen! So realistisch brauchte er seine Rolle wirklich nicht zu spielen!

„Einfach tierisch!" sagte Karl der Kühne, der beim Portier stand.

„Die Casparius und die Mallebré machen schon Jagd auf den Kleinen", erklärte Onkel Polter. „Ich werde für Herrn Schulze wohl eine kleine Nebenbeschäftigung erfinden müssen. Sonst geht er dem Millionär nicht von der Seite."

„Vielleicht reist er bald wieder ab. Die Dachkammer wird ihm zu kalt sein."

Onkel Polter kannte die Menschen besser. Er schüttelte den Kopf. „Sie irren sich. Schulze bleibt."

Der Hoteldirektor folgte den beiden seltsamen Gästen in die Bar. Die Kapelle spielte. Elegante Paare tanzten.

„Darf ich vorstellen?" fragte Hagedorn. Und dann machte er Geheimrat Tobler und Johann, dessen Diener, miteinander bekannt. Herr Kesselhuth bestellte eine Runde Kognak.

Schulze lehnte sich bequem zurück, betrachtete gerührt und spöttisch Johann und sagte: „Doktor Hagedorn erzählte mir, daß Sie den Geheimrat Tobler kennen."

Herr Kesselhuth blinzelte vergnügt zu Schulze

hinüber. „Wir sind fast dauernd zusammen! Ich besitze eine gutgehende Schiffahrtslinie. Und im Aufsichtsrat sitzen wir direkt nebeneinander!"

„Donnerwetter!" rief Schulze. „Welche Linie?"

„Darüber will ich nicht sprechen. Aber die kleinste ist es nicht," sagte Kesselhuth vornehm.

Sie tranken.

Der Hoteldirektor trat an den Tisch und fragte den jungen Mann, ob ihm die Zimmer gefielen.

„Doch", sagte Hagedorn. „Ich bin zufrieden."

Herr Kühne war glücklich. Er winkte einem Kellner, und der brachte eine Flasche Champagner in einem Eiskühler und zwei Gläser. „Zur Begrüßung", sagte der Direktor.

„Und ich kriege kein Glas?" fragte Schulze ganz unschuldig.

Kühne wurde rot. Der Kellner brachte noch ein Glas und goß ein. Schulze ließ sich nicht ignorieren.

„Auf Ihr Wohl!" rief er fröhlich.

Der Direktor verschwand, um dem Portier sein Leid zu klagen.

Schulze schlug an sein Glas. „Trinken wir darauf", sagte er, „daß Herr Kesselhuth für meinen jungen Freund beim alten Tobler etwas erreicht!"

Johann murmelte: „Mach ich, mach ich!"

Hagedorn sagte: „Lieber Herr Schulze, sollen wir nicht Herrn Kesselhuth fragen, ob er auch etwas für Sie tun kann?"

„Keine schlechte Idee", meinte Schulze.

„Schön wär's, wenn wir in derselben Abteilung arbeiten könnten. Wir werden dem Tobler zeigen, was wir für tüchtige Kerle sind! Ist er übrigens ein netter Mensch?"

„O ja", sagte Johann Kesselhuth. „Mir gefällt er."

„Wir werden ja sehen", sagte Hagedorn. „Trinken wir auf ihn! Der alte Tobler soll leben!"

Sie tranken.

„Das soll er", sagte Kesselhuth und blickte Herrn Schulze in die Augen.

Nachdem die erste Flasche leergetrunken war, bestellte der Schiffahrtslinienbesitzer Kesselhuth noch eine. Sie wunderten sich, daß sie trotz der langen Reise noch immer nicht müde waren. Sie schoben es auf die Höhenluft.

Plötzlich spielte die Kapelle einen Tusch. „Damenwahl!" rief Heltai, der Tanzmeister und Arrangeur von Kostümfesten. Mehrere Damen erhoben sich. Auch Frau Casparius. Sie steuerte auf Hagedorn los. Frau von Mallebré wurde blaß und engagierte, sauer lächelnd, den Baron.

Frau Casparius machte einen Knicks und sagte: „Sie sehen, Herr Doktor, mir entgeht man nicht."

Schulze beugte sich vor. „Ich gehe in die Halle", flüsterte er. „Folgen Sie mir unauffällig! Bringen Sie aber eine anständige Zigarre mit!" Dann verließ er die Bar.

Geheimrat Tobler saß nun also mit seinem Diener Johann in der fast leeren Hotelhalle. Kesselhuth reichte ihm sein Zigarrenetui und fragte: „Darf ich Sie zu einem Kognak einladen?"

„Fragen Sie nicht so dumm!" meinte Tobler.

Der Kellner brachte die Kognaks.

„Ich kriegte ja einen solchen Schreck, als der Direktor und der Portier so vor dem Doktor Hagedorn krochen", sagte Johann. „Am liebsten wäre ich Ihnen entgegengelaufen und hätte Sie gewarnt."

„Ich werde meiner Tochter die Ohren abschneiden", erklärte Tobler. „Sie hat natürlich telephoniert."

„Fräulein Hildes Ohren sind so niedlich", sagte Johann.

„Ein wahres Glück, daß dieses Mißverständnis dazwischenkam", sagte Tobler.

„Haben Sie ein nettes Zimmer bekommen?" fragte Johann.

„Und ob", sagte Tobler. „Luftig. Sehr luftig."

„Ich werde morgen auf Ihr Zimmer kommen und Ordnung machen", sagte Johann.

„Das tun Sie nicht!" sagte Tobler streng. „Haben Sie Bleistift und Papier? Schnell einen Geschäftsbrief, ehe unser kleiner Millionär kommt. Mögen Sie ihn?"

„Ein reizender Mensch", sagte Johann. „Wir drei werden noch sehr viel Spaß haben."

„Lassen Sie uns arme Leute zufrieden!" meinte Tobler. „Kümmern Sie sich um Ihre Schiffahrtslinie!"

So oft die Kapelle eine Pause machen wollte, klatschten die Tanzpaare wie besessen. Frau Casparius sagte leise: „Sie tanzen gut." Ihre Hand lag auf Hagedorns Schulter und übte einen zärtlichen Druck aus. „Was tun Sie morgen? Fahren Sie Ski?"

Er verneinte.

„Wollen wir eine Schlittenpartie machen?"

„Ich bin mit meinen beiden Bekannten verabredet."

„Wie können sie diesen Mann, diese *Vogelscheuche,* meiner bezaubernden Gesellschaft vorziehen?"

„Ich bin auch so eine Vogelscheuche", sagte er böse. „Schulze und ich gehören zusammen!"

Sie lachte und zwinkerte mit den Augen. „Gewiß, Doktor. Aber Sie sollten trotzdem mit mir fahren. Im Pferdeschlitten. Mit klingelnden Glöckchen. Und warmen Decken. So etwas kann sehr schön sein." Sie schmiegte sich an ihn. „Oder mögen Sie mich nicht?"

„Oh, doch", sagte er. „Aber Sie haben so etwas erschreckend Plötzliches an sich."

Sie sah ihm gerade in die Augen. „Seien Sie doch nicht so scheu, zum Donnerwetter! Gefallen wir einander? Wie? Wozu das Theater! Hab ich recht oder stimmt's?"

Die Kapelle hörte zu spielen auf.

„Sie haben recht", sagte er. „Aber wo sind meine Bekannten?"

Er begleitete sie an ihren Tisch, verbeugte sich vor ihr und entfernte sich eilends, um die Herren Schulze und Kesselhuth zu suchen.

„Schnell die Notizen weg!" sagte der Geheimrat. „Dort kommt unser kleiner Millionär."

Hagedorn setzte sich stöhnend. „Das ist eine Frau", meinte er. „Die hätte General werden müssen."

Kesselhuth bestellte eine Runde Schnaps.

Als der Kellner sie gebracht hatte, drückte Schulze die Zigarre aus und sagte: „Sind wir nur hierher gekommen, um uns zu betrinken?"

„Nicht nur", sagte Kesselhuth.

---

die Vogelscheuche wird gebraucht, um die Vögel fortzujagen

„Also fordere ich die Anwesenden auf, jetzt mit mir in die Natur zu gehen", sagte Schulze.

Sie erhoben sich mühsam und gingen, leise schwankend, aus dem Hotel. Sie standen verwundert im Schnee.

Da erklärte Hagedorn: „So, meine Herrschaften, jetzt machen wir einen großen Schneemann!"

Und Schulze meinte: „Wehe, wer nicht mitmacht!"

Und dann machten sie einen Schneemann, groß und imponierend, und stellten ihn vor die Silbertannen am Eingang. Sie schwitzten vor Anstrengung und Eifer. Sie kriegten ihn aber ohne größere Zwischenfälle fertig. Allerdings fiel Herr Kesselhuth einmal hin und sagte: „Der teure Smoking!" Aber es störte ihn weiter nicht. Wenn erwachsene Männer etwas vorhaben, dann setzen sie es durch. Auch im Smoking.

Und dann war der Schneemann fertig. Arme hatte er allerdings keine. Dafür aber einen Eierkopf.

Herr Schulze wollte die Knöpfe von seinem violetten Anzug abschneiden, um sie dem Schneemann in den Schneebauch zu drücken. Aber Herr Kesselhuth erlaubte es nicht.

Sie nannten ihren Schneemann Kasimir.

Hagedorn bemerkte: „Kasimir braucht einen Hut. Morgen besorge ich aus der Küche einen Marmeladeneimer. Den setzen wir ihm auf."

Damit waren alle zufrieden.

„Kasimir ist der schönste Mensch, den es gibt", sagte Schulze.

„Kunststück", rief Kesselhuth. „Er hat ja auch drei Väter."

Dann riefen sie im Chor: „Gute Nacht, Kasimir!"

„Gute Nacht, meine Herren", sagte da eine Stimme. Es war aber nicht Kasimir, sondern ein Gast, der wegen des Lärms nicht schlafen konnte. Wütend knallte er das Fenster zu.

Und die drei Väter von Kasimir gingen auf Zehenspitzen ins Haus.

Schulze zog, als er schlafen ging, den Mantel an. „Der alte Tobler friert, aber er ergibt sich nicht!" sagte er und schlummerte ein.

Auch Hagedorn schlief bald ein.

Nur Herr Kesselhuth wachte. Erst schrieb er den Geschäftsbrief für Herrn Tobler, dann einen privaten, außerordentlich geheimen Brief.

Und der lautete so:

„Liebes Fräulein Hildegard!

Wir sind gesund und munter angekommen. Sie hätten aber trotzdem nicht hintenrum mit dem Hotel telephonieren sollen. Der Herr Geheimrat will Ihnen die Ohren abschneiden. Man hat den andern Preisträger, den Herrn Doktor Hagedorn, für den verkleideten Millionär gehalten. Und nun hat Hagedorn die Katzen im Zimmer.

Wir haben uns angefreundet. Ich mich mit Hagedorn. Er sich mit Ihrem Vater. Und dadurch der Geheimrat mit mir. Ich bin sehr froh. Vorhin haben wir drei einen großen Schneemann gemacht. Er heißt Kasimir.

Das Hotel ist sehr vornehm. Der Herr Geheimrat sieht natürlich zum Fürchten aus. Aber rausgeschmissen hat man ihn nicht. Morgen geh ich in sein Zimmer und mache Ordnung. Die Frauen sind mächtig hinter Doktor Hagedorn her. Sie halten ihn für einen Thronfolger. Dabei ist er stellungslos.

Wir waren in der Bar und haben einiges getrunken. Aber vom Sternenhimmel sind wir wieder nüchtern geworden. Und vom Schneemann.

Hoffentlich geht es Ihnen gut, liebes Fräulein Hilde. Haben Sie keine Sorgen um Ihren Vater!

Von ganzem Herzen hochachtungsvoll und Ski Heil! Ihr alter Johann Kesselhuth."

Fragen

Wen trafen Herr Schulze und Herr Hagedorn in der Halle?

Wo verbrachten sie den Abend?

Warum ließ der Direktor nur zwei Gläser bringen?

Mit wem mußte Herr Hagedorn tanzen?

Warum gingen Herr Schulze und Herr Kesselhuth in die Halle?

Auf wen war der Geheimrat böse?

Wozu wollte Frau Casparius Herrn Hagedorn überreden?

Was machten die drei Männer draußen vor dem Hotel?

An wen schrieb Herr Kesselhuth?

9 Drei Männer im Schnee

Früh gegen sieben Uhr polterten die ersten Gäste aus ihren Zimmern.

Heute zog auch Hoteldirektor Kühne wieder in die Berge. Als er beim Portier vorüberkam, sagte er: „Herr Polter, sehen Sie zu, daß dieser Schulze keinen Unsinn macht! Und kümmern Sie sich um den kleinen Millionär!"

„Wie ein Vater", erklärte Onkel Polter ernst. „Und dem Schulze werde ich irgendeine Nebenbeschäftigung geben."

Herr Kesselhuth saß noch in der Badewanne, als es klopfte. Er antwortete nicht. Außerdem hatte er Kopfschmerzen. „Das kommt vom Trinken", sprach er zu sich selber.

Da wurde die Badezimmertür geöffnet, und ein wilder, lockiger Gebirgsbewohner trat ein. „Guten Morgen wünsch ich", erklärte er. „Entschuldigen Sie. Ich komme wegen dem Skiunterricht."

„Ach so!" rief Kesselhuth. „Wollen wir damit nicht lieber warten, bis ich abgetrocknet bin?"

Der Skilehrer sagte: „Ich warte drunten in der Halle. Ich hab dem Herrn ein Paar Bretteln mitgebracht. Prima Eschenholz." Dann ging er wieder.

Hagedorn träumte, daß ihn jemand rüttelte, ihm die Bettdecke wegzog, den Pyjama abstreifte, Öl über den Rücken goß und ihn mit riesigen Händen zu kneten begann. „Lassen Sie das!" murmelte Hagedorn. Dann lachte er plötzlich und rief: „Nicht kitzeln!" Dann wurde er aber ganz wach und erblickte einen großen Mann an seinem Bett und fragte wütend: „Sind Sie des Teufels, Herr?"

„Nein, der Masseur", sagte der Fremde. „Masseur Stünzner."

„Ist Masseur Ihr Vorname?" fragte der junge Mann.

„Eher der Beruf", sagte der andre und verstärkte seine Handgreiflichkeiten. „Ich bin in seiner Gewalt", dachte der junge Mann.

Alle Knochen taten ihm weh. Und das sollte gesund sein?

Geheimrat Tobler wurde nicht geweckt. Er schlief fern von Masseuren und Skilehrern. Doch als er erwachte, war es noch dunkel. Später stellte sich heraus, daß das Dachfenster voller Schnee lag. Er kletterte auf einen Stuhl und öffnete es. Draußen schien die Sonne.

Schließlich wusch und rasierte er sich, zog den violetten Anzug an und ging in die Frühstückshalle hinunter.

Hier traf er Hagedorn. Sie begrüßten einander sehr herzlich. Und der junge Mann sagte: „Herr Kesselhuth ist schon auf der Skiwiese." Dann frühstückten sie gründlich.

„Was unternehmen wir heute?" fragte Hagedorn.

„Wir gehen spazieren", meinte Schulze."

Dann bat Hagedorn den Kellner, einen großen leeren Marmeladeneimer zu besorgen, und mit dem in der Hand verließen die beiden das Hotel.

Onkel Polter hatte Gänsehaut als er sie sah.

Draußen setzten sie ihrem Kasimir den Eimer als Hut auf. Hagedorns Knochen taten noch weh und er sagte: „Dieser Stünzner hat mich völlig zugrunde gerichtet!"

„Welcher Stünzner?" fragte Schulze.

„Der Masseur", erklärte Hagedorn.

„Massage ist aber trotzdem gesund", meinte Schulze.

„Wenn er übermorgen wiederkommt, schicke ich ihn zu Ihnen in Ihre Dachkammer."

Da öffnete sich die Hoteltür und Onkel Polter kam zu ihnen. „Hier ist ein Brief, Herr Doktor. Und ein paar ausländische Briefmarken."

„Danke", sagte Hagedorn. „Oh, von meiner Mutter! Wie gefällt Ihnen übrigens Kasimir?"

„Das will ich lieber nicht sagen", meinte der Portier.

„Erlauben Sie mal!" rief da Hagedorn. „Kasimir ist der schönste Schneemann zu Wasser und zu Lande!"

„Ach so", sagte Onkel Polter. „Ich dachte, Kasimir sei der Vorname von Herrn Schulze." Er verbeugte sich und ging zur Hoteltür zurück. Dort drehte er sich noch einmal um und sagte: „Von Schneemännern verstehe ich nichts."

Sie folgten einem Weg, der über verschneites, freies Gelände führte, bis an einen baumlosen Hügel, auf dem sich zwei Punkte bewegten.

Plötzlich entfernte sich der eine der schwarzen Punkte von dem anderen. Der Abstand wuchs. Der Punkt wuchs. Es war ein Skifahrer. Er kam mit unheimlicher Geschwindigkeit näher und hielt sich mit Mühe aufrecht.

„Da laufen jemandem die Skier weg", meinte Hagedorn.

Ungefähr zwanzig Meter von ihnen stürzte der Skiläufer kopfüber in eine *Schneewehe* und war verschwunden.

Sie liefen auf die Schneewehe zu. Da erblickten sie ein Paar zappelnde Beine und ein Paar Skibretter. Sie zogen daran, bis deren Besitzer wieder zum Vorschein kam. Er hustete und spuckte pfundweise

---

die Schneewehe: vom Wind zusammengewehter Schnee

Schnee aus und sagte: „Guten Morgen, meine Herren." Es war Johann Kesselhuth.

Herr Schulze lachte Tränen. „Weshalb sind Sie in diesem Tempo den Hügel heruntergefahren?" fragte er.

Kesselhuth sagte ärgerlich: „Die Bretter sind gefahren. Ich doch nicht!"

Nach dem Mittagessen gingen die drei Männer auf die Hotelterrasse, legten sich in die Sonne, rauchten Zigarren und schlossen die Augen.

Nach einiger Zeit sagte Hagedorn: „Wissen Sie, wann meine Mutter den Brief geschrieben hat, der heute morgen ankam? Als ich noch in Berlin war. Damit ich bereits am ersten Tag Post von ihr hätte."

„Aha!" sagte Schulze. „Ein sehr schöner Einfall."

Die Sonne brannte. Die Zigarren brannten nicht mehr. Die drei Männer schliefen.

Fragen

Von wem wurde Herr Kesselhuth geweckt?

Von wem wurde Herr Hagedorn geweckt?

Wie war es am Morgen bei Herrn Schulze?

Wie war der Portier Herrn Schulze gegenüber?

Was sahen Herr Schulze und Herr Hagedorn auf dem Hügel?

10 Herrn Kesselhuths Aufregungen

Als Hagedorn erwachte, waren Schulze und Kesselhuth verschwunden. Aber an einem kleinen Tische in der Nähe, saß Frau von Mallebré und trank Kaffee. Sie lud ihn zu einer Tasse Kaffee ein. Er setzte sich zu ihr. Sie sprachen erst über das Hotel und die Alpen. Dann sagte sie: „Ich bin eine sehr oberflächliche Frau. Mein Wesen wird immer von dem Manne bestimmt, mit dem ich gerade zusammenlebe. Und nun habe ich große Angst, daß meine Oberflächlichkeit chronisch wird. Ohne fremde Hilfe finde ich nicht heraus."

„Und nun halten Sie mich für einen besonders energischen und wertvollen Menschen, eine Art *Gesundbeter?*" fragte er. Er stand auf. „Ich muß nun leider fort und meine Bekannten suchen."

„Schade, daß Sie schon gehen, Herr Doktor." Ihre Augen blickten verschleiert.

Er machte sich fort und suchte Schulze, fand aber Kesselhuth. Dieser sagte: „Vielleicht ist er in seinem Zimmer." Sie begaben sich ins fünfte Stockwerk. Niemand antwortete auf ihr Klopfen. Hagedorn drückte auf die Klinke. Die Tür ging auf. Das Zimmer war leer.

„Wer wohnt hier?" fragte Kesselhuth.

„Schulze", antwortete der junge Mann.

Herr Kesselhuth schwieg. Er konnte es nicht fassen.

„Na, gehen wir wieder!" meinte Hagedorn.

---

der Gesundbeter: der Krankenheiler (durch Gebete)

„Ich komme nach", sagte der andere. „Das Zimmer interessiert mich."

Als der junge Mann gegangen war, begann Herr Kesselhuth aufzuräumen. Er hatte Tränen in den Augen. Nach zwanzig Minuten war Ordnung! Der Diener legte noch drei Zigarren auf den Tisch und eine Schachtel Streichhölzer. Dann holte er aus seinem Zimmer eine Kamelhaardecke, ein Frottierhandtuch, eine Gummiwärmflasche, eine Vase mit Tannengrün und drei Äpfel. Nachdem er die verschiedenen Gaben aufgestellt hatte, ging er hinunter. Er war niemandem begegnet.

Hagedorn ging in die Halle und fragte den Portier, ob er wüßte, wo Schulze sei.

„Auf der Eisbahn, Herr Doktor", sagte er. „Hinterm Haus."

Auf der Eisbahn waren aber nur zwei Arbeiter. Sie fegten den Schnee weg und redeten und lachten. Als Hagedorn nahe genug war, rief er: „Haben Sie einen großen, älteren Herrn gesehen?"

Einer der beiden Arbeiter rief zurück: „Der bin ich!"

„Schulze?" fragte Hagedorn. „Sie sind es?"

„Gewiß", antwortete Schulze. „Der Portier hat Angst, daß ich krank werde."

„Kommen Sie sofort hier weg!" sagte Hagedorn.

„Ich komme", sagte Schulze. Und zum Arbeiter: „War ich sehr im Wege?"

Der lachte und sagte: „Etwas."

Schulze lachte auch. „Morgen laufe ich hier Schlittschuh", sagte er.

„Ich ärgere mich", gestand Hagedorn. „Übermorgen werden Sie die Treppen *scheuern,* wenn Sie sich nicht beim Direktor beschweren!"

„Der Direktor will mich doch auch raushaben. Ich finde es spannend." Schulze schob seinen Arm unter den des jungen Mannes. „Vielleicht verstehen Sie das später."

„Das glaube ich kaum", antwortete Hagedorn.

„Und nun erzählen Sie mir von Ihren Liebesaffären. Was wollte die dunkle Schönheit von Ihnen?"

„Das war Frau von Mallebré. Sie will von mir gerettet werden."

„Sie Ärmster", sagte Schulze.

„Ich habe Angst vor diesen Frauen", sagte Hagedorn. „Können Sie nicht auf mich aufpassen?"

„Wie eine Mutter", sagte Schulze. „Und zur Belohnung bekomme ich jetzt von Ihnen auf ihrem

---

scheuern: schrubben

Zimmer einen Kognak. Und ich muß doch auch den kleinen Katzen guten Tag sagen."

Währenddessen saß Kesselhuth in seinem Zimmer und schrieb einen verzweifelten Brief. Er schrieb:

„Liebes Fräulein Hildegard!

Ich habe mich wieder zu früh gefreut. Doktor Hagedorn und ich suchten den Herrn Geheimrat in seinem Zimmer. Es liegt in der fünften Etage und ist gar kein Zimmer. Es ist eine Rumpelkammer und hat schiefe Wände und keinen Ofen. Das Fenster ist direkt über dem Kopf. Ein Schrank ist nicht da. Wenn Sie diese elende, hundekalte Kammer sehen würden, fielen Sie sofort um.

Ich habe sofort aufgeräumt. Morgen kaufe ich eine Heizsonne. Ein Kontakt ist da. Heute hat mich niemand gesehen. Ein Glück, denn der Geheimrat will nicht, daß ich hinaufkomme. Luftig nennt er sein Zimmer. Das will ich meinen. Wenn er nur nicht krank wird!

Heute hatte ich meine erste Skistunde. Plötzlich fuhr ich ab, obwohl ich gar nicht wollte. Es hat sicher komisch ausgesehen. Der Herr Geheimrat und Doktor Hagedorn haben mich wieder aus dem Schnee herausgezogen.

Liebes Fräulein Hilde, jetzt ziehe ich den Smoking an und gehe zum Abendessen. Das Kuvert bleibt offen. Also bis nachher."

Als Schulze nach dem Abendessen in seine Kammer trat, staunte er nicht wenig. Er war über Johanns heimliche Fürsorge gerührt, aber auch böse. Dann aber zog er sich aus und ging ins Bett.

Hagedorn und Kesselhuth saßen abends noch in

der Halle und rauchten. Hagedorn erzählte sein Erlebnis von der Eisbahn. Herr Kesselhuth war ganz außer sich, entschuldigte sich und ging gleich in sein Zimmer.

Hagedorn tanzte dann abwechselnd mit Frau von Mallebré und Frau Casparius. Denn er merkte, daß sie aufeinander eifersüchtig waren. Die Rivalin trat also in den Vordergrund. Und der Mann, um den sich's drehte, wurde Nebensache.

Er verschwand, ohne sich lange zu verabschieden, und ging in sein Appartement. Auch er war müde.

Inzwischen beendete Johann den Brief an Fräulein Tobler. Der Schluß lautete so:

„Ich habe schon wieder was Entsetzliches erfahren. Am Nachmittag hat der Portier, ein ekelhafter Kerl, den Geheimrat auf die Eisbahn geschickt. Dort mußte er Schnee wegfegen. Ist das nicht schrecklich?

Ich bin ganz verwirrt, liebes Fräulein Hilde! Soll ich mich nicht einmischen? Wenn das so weitergeht, muß Herr Schulze nächstens die Treppen scheuern und Kartoffeln schälen, sagt auch der Herr Doktor.

Schreiben Sie mir bitte schnell.

Mit den besten Grüßen Ihr getreuer Johann Kesselhuth."

Fragen

Wer kam zu Herrn Hagedorn, als er auf der Terrasse aufwachte?

Was sagte Herr Kesselhuth, als er Schulzes Zimmer sah?

Was tat er, als Herr Hagedorn fort war?

Wo war Herr Schulze?

Wer hatte ihn dorthin geschickt?

Warum gab man Herrn Schulze solche Aufgaben?

Was schrieb Herr Kesselhuth an dem Abend an Hilde?

11 Der einsame Schlittschuhläufer

Am nächsten Morgen frühstückten die drei Männer gemeinsam. Der Tag war noch schöner als der vorige. Die Luft war frostklar.

„Was unternimmt man heute?" fragte Schulze.

Johann wurde rot. Er legte drei Billetts auf den Tisch und sagte: „Wenn es Ihnen recht ist, fahren wir mit der Drahtseilbahn auf den Wolkenstein. Ich habe mir erlaubt, Karten zu besorgen."

Dreißig Minuten später schwebten sie in einem Kasten über den waldigen Hügel in den Himmel empor. Endlich war die Endstation, zwölfhundert Meter über Bruckbeuren erreicht. Die Passagiere stiegen aus und gingen ins Freie. Hier gab es lange Reihen von Liegestühlen.

„Jetzt lassen wir uns von der Sonne braten", sagte Schulze.

Und das taten sie dann.

Eine Stunde hielten sie das aus, dann erhoben sie sich und gingen zur Drahtseilbahn zurück. Dort stießen sie mit Frau Casparius zusammen. Sie trat zu Herrn Hagedorn und sagte: „Sie kommen doch heute abend zu dem Kostümball?"

Sie hatte einen sehr strammen Jumper an!

Nach dem Mittagessen wurde Kesselhuth vom Skilehrer abgeholt.

Herr Kesselhuth verabschiedete sich traurig und trabte hinter dem Skilehrer her.

„Als ob er zur Schlachtbank geführt würde",

meinte Hagedorn. ,,Aber der Skianzug ist fabelhaft!"

,,Ist ja auch von meinem Schneider", sagte Schulze stolz.

Hagedorn lachte herzlich über die Bemerkung. Und Geheimrat Tobler lachte auch, allerdings etwas krampfhaft. Dann erhob er sich und sagte: ,,Und jetzt geht Papa Schulze Schlittschuh laufen."

,,Darf ich mitkommen?"

Schulze erhob abwehrend die Hand. ,,Lieber nicht!"

Herr Schulze holte seine Schlittschuhe aus der fünften Etage und begab sich zur Eisbahn. Er hatte Glück, es war niemand anders da. Mühsam schnallte er die rostigen Schlittschuhe an seine ledernen Stiefel. Dann stellte er sich auf und wagte die ersten Schritte. Es ging! Er lief einmal rund um die Bahn. Er wurde mutiger. Er begann Bogen zu fahren. Er fuhr eine Drei.

,,Donnerwetter", sagte er. ,,Gelernt ist gelernt."

Dann fuhr er eine Acht.

,,Und jetzt die Pirouette", sagte er laut. Da zog ihm aber eine unsichtbare Macht die Füße vom Eis. Er gestikulierte, es half nichts, er schlug hin. Der Hinterkopf dröhnte, die Rippen schmerzten, Schulze lag still.

Minutenlang rührte er sich nicht. Dann schnallte er die Schlittschuhe ab, lächelte wehmütig und sagte: ,,Wenn's dem Esel zu wohl wird..."

Am späten Nachmittag wurden die drei Männer im Lesezimmer von Professor Heltai, dem Tanzlehrer, beim Zeitunglesen unterbrochen. Er bat Herrn Schulze, ihm zu folgen. Schulze ging mit.

Nach einer Viertelstunde fragte Kesselhuth: „Wo bleibt eigentlich Schulze?"

„Vielleicht nimmt er Tanzunterricht."

„Kaum", antwortete Kesselhuth.

Nach noch einer Viertelstunde gingen sie Schulze suchen. Sie fanden ihn in einem der Speisesäle.

Er stand auf einer hohen Leiter und machte gerade eine Wäscheleine an einem Nagel fest. Dann schleppte er die Leiter auf die andere Seite und kletterte wieder hinauf.

„Haben Sie Fieber?" fragte Hagedorn.

„Ich dekoriere", sagte Schulze, und machte das andre Ende der Wäscheleine fest.

Dann brachten zwei Stubenmädchen einen Korb mit alter, zerlöcherter Wäsche. Die hängte Schulze dekorativ über die Leine.

Der Professor rieb sich die Hände und sagte: „Sie sind ein Künstler. Wann haben Sie das gelernt?"

„Eben erst, mein Lieber", sagte Schulze.

Diese Bemerkung überhörte der Professor. „Auch die andere Seite", sagte er. „Ich hole noch Ballons."

Johann ging zur Leiter hin und sagte zu Schulze: „Lassen Sie mich hinauf!"

„Für zwei ist kein Platz", sagte Schulze. „Feine Leute können wir hier nicht gebrauchen. Gehen Sie lieber Bridge spielen!"

„Ich hab's mir gedacht", sagte Hagedorn. Sie gingen.

Fragen

Wohin begaben sich die drei Männer am Vormittag?

Wohin ging Herr Schulze nach dem Mittagessen?

Wer holte Herrn Schulze aus dem Lesezimmer?

Was wollte er von Schulze?

Wie löste Herr Schulze seine Aufgabe?

12 Der Lumpenball

Nach dem Abendessen eilten die Gäste in ihre Zimmer und verkleideten sich.

Gegen zehn Uhr abends füllten sich die Säle, die Halle, die Bar und die Korridore mit maskierten Menschen. Auch solche aus anderen Hotels. Die erkannte man daran, daß sie Eintritt zahlen mußten.

In der Halle war eine Tombola errichtet. Alles, was man nicht gebrauchen konnte, war hier zu gewinnen.

Kesselhuth hatte mitgeteilt, daß im großen Saal ein Tisch mit drei Stühlen reserviert sei.

Doktor Hagedorn trat als *Apache* auf. Er war in Hemdsärmeln und hatte eine Mütze schief ins Gesicht gezogen.

Schulze hatte sich noch weniger verkleidet. Er trug den violetten Anzug und die rote Mütze.

Der Hinterkopf tat ihm noch weh. Vom Schlittschuhlaufen.

„Wo ist nur unser lieber Kesselhuth?" sagte Schulze.

In diesem Augenblick füllte jemand, der hinter ihnen stand, die drei Weingläser.

„Wir haben keinen Wein bestellt", sagte Hagedorn.

Da lachte der Kellner. Es war aber gar kein Kellner, sondern Johann Kesselhuth. Er hatte die Dienerjacke an.

---

der Apache: der Verbrecher

„Großartig!" rief Hagedorn. „Sie sehen aus wie der geborene Diener!"

Die drei Männer amüsierten sich königlich.

Dann kam der dicke Lenz, als Kneipenwirt verkleidet, und sagte zu Schulze „Sie bekommen für Ihre Verkleidung bestimmt den ersten Preis!" Und er nahm ihn mit zu Professor Heltai. Der aber sagte: „Es tut mir leid, mein lieber Schulze. Sie fallen nicht unter die Bestimmungen. Sie sind nicht kostümiert. Sie sehen nur so aus. Sie sind ein Professional."

Als Schulze zurückkam, war Hagedorn weg.

Johann saß solo und trank. „Die Dame aus Bremen, als kleines Schulmädchen verkleidet, hat ihn weggeholt", berichtete er.

Sie gingen auf die Suche. In der Halle an der Tombola kauften sie dreißig Lose. Sie gewannen zwei Teddybären. Sie gingen weiter. Durch alle Säle. Aber Hagedorn war nicht zu finden.

„Wir müssen ihn finden", sagte der Geheimrat. „Das Bremer Schulmädchen hat ihn verschleppt. Und ich sollte auf ihn aufpassen."

In der Bar war der verlorene Sohn auch nicht.

Sie kehrten an ihren Tisch zurück. Hagedorn war noch immer nicht da. Johann setzte die beiden Teddybären auf Hagedorns Stuhl. Und dann tranken sie.

„Fällt Ihnen was auf?" fragte Tobler.

„Jawohl", antwortete Johann. „Alle Leute sehen auf uns."

Währenddessen saß Frau Casparius, als Schulmädchen verkleidet, mit dem Apachen Hagedorn zusammen im Bierkeller. Sie klappte ihren Schulranzen auf, holte eine Puderdose heraus und fing an, sich die freche Nase zu pudern.

„Was willst du denn mal werden, wenn du aus der Schule kommst?" fragte er.

"Am liebsten Spazierführerin", sagte sie.

„Aha. Das ist aber auch ein interessanter Beruf", sagte er. „Ich muß jetzt leider gehen. Wir Apachen haben viel zu tun. Es handelt sich um einen Einbruch."

„Was wollen Sie denn stehlen?" fragte sie.

„Alle linken Handschuhe", sagte er, legte den Finger an den Mund und entfernte sich schnell.

*

Die beiden älteren Herren winkten, als sie ihn kommen sahen. „Wo waren Sie denn mit dem Schulmädchen?" fragte Schulze streng.

„Lieber Freund", sagte der junge Mann. „Wir haben nur davon gesprochen, was die Kleine mal werden will."

„Na, und was will sie denn werden?"

„Am liebsten Spazierführerin", sagte Hagedorn.

Die beiden älteren Herren versanken in Nachdenken. Dann sagte Kesselhuth: „Wir sollten jetzt vors Hotel gehen und auf Kasimirs Wohl trinken."

Der Vorschlag wurde einstimmig angenommen. Kesselhuth nahm eine Flasche und drei Gläser. Schulze die Teddybären. Und Hagedorn schritt voran.

Als sie am Portier vorbeigingen, hob Schulze die Teddybären empor und sagte laut zu ihnen: „Schaut euch mal den bösen Onkel an! So etwas gibt's wirklich."

Kasimir sah wieder ganz reizend aus. Die drei Männer betrachteten ihn gerührt.

Schulze trat vor. „Bevor wir auf das Wohl unseres gemeinsamen Sohnes trinken", sagte er feierlich, „möchte ich ein gutes Werk tun. Es ist bekanntlich nicht gut, daß der Mann allein sei. Auch der Schneemann nicht." Und dann setzte er die beiden Teddybären rechts und links vom Schneemann in den kalten Schnee. „Nun hat er wenigstens, auch wenn wir nicht da sind, Gesellschaft."

Dann füllte Herr Kesselhuth die Gläser. Aber der Wein reichte nicht. Und Johann verschwand im Hotel um eine volle Flasche zu besorgen.

Nun standen Schulze und Hagedorn allein unterm Nachthimmel. Jeder hatte ein halbvolles Glas in der Hand.

Schulze hustete verlegen. Dann sagte er: „Seit ich im Krieg war, habe ich keinen Mann mehr geduzt. Ich möchte, wenn es dir recht ist, mein Junge, den Vorschlag machen, daß wir Brüderschaft trinken."

Der junge Mann hustete auch. Dann antwortete er: „Ich habe seit der Universität keinen Freund mehr gehabt. Ich hätte nie gewagt, Sie um Ihre Freundschaft zu bitten. Mensch, ich danke dir."

„Ich heiße Eduard", bemerkte Schulze.

„Ich heiße Fritz", sagte Hagedorn.

Dann stießen sie mit den Gläsern an, tranken und drückten einander die Hand.

Und Kesselhuth, der gerade aus der Tür kam, ahnte die Bedeutung dieses Händedrucks, machte leise kehrt und ging ins Hotel zurück.

Fragen

Wie waren die drei Männer verkleidet?

Warum konnte Herr Schulze nicht an der Preisverteilung teilnehmen?

Mit wem war Herr Hagedorn zusammen?

Was brachten sie dem Schneemann als Geschenk?

Warum wollten Schulze und Hagedorn „Du" zueinander sagen?

13 Der große Rucksack

Mutter Hagedorns Paket mit den Reklamearbeiten traf am nächsten Tag ein. Auch ein Brief.

„Mein lieber Junge!" schrieb die Mutter.

„Vielen Dank für die zwei Ansichtskarten. Ich will eben Dein Paket zum Bahnhof bringen. Hoffentlich knicken die Ecken nicht um. Ich meine bei den Paketen und Kunstdrucksachen. Und sage diesem Herrn Kesselhuth, wir möchten Deine Arbeiten zurückhaben. Solche Herrschaften sind meistens vergeßlich.

Ich halte für Dich nicht nur den Daumen, sondern auch die großen Zehen. Daß der andere Preisträger ein netter Mensch ist, freut mich. Grüße ihn schön. Mir geht es ganz ausgezeichnet. Hoffentlich kommt morgen ein Brief von Dir. Vorläufig verstehe ich nämlich manches noch nicht. Wieso hast Du drei kleine Katzen im Zimmer? Und zwei Zimmer mit Bad? Und was soll der Ziegelstein? Hoffentlich ist es wirklich ein Hotel und nicht ein Irrenhaus. Antworte auf meine Fragen. Du vergißt es oft. Und nun zum Bahnhof.

Bleibe gesund und munter. Viele Grüße und Küsse von Deiner Dich über alles liebenden

Mutter."

Nach dem Lunch saßen die drei Männer auf der Terrasse und besahen Hagedorns Arbeiten. Schulze fand sie gut. Und Kesselhuth sagte: „Heute abend schicke ich das Paket an Geheimrat Tobler."

„Und vergessen Sie nicht, auch nach einem Posten für Schulze vorzufragen", bat Hagedorn. „Es ist dir doch recht, Eduard?" fügte er hinzu.

Schulze nickte. „Gewiß! Der alte Tobler soll sich mal anstrengen."

„Und er soll die Sachen, bitte, bestimmt zurückgeben", erklärte der junge Mann.

„Natürlich", sagte Schulze, obwohl es ihn ja gar nichts anging.

Kesselhuth nahm die Arbeiten an sich. Dann murmelte er etwas und ging traurig davon. Denn in der Hoteltür stand der Skilehrer.

Eduard und Fritz gingen hinaus zu ihrem Schneemann.

„Wenn wir Geld hätten", meinte Hagedorn, „könnten wir ihm einen Sonnenschirm schenken. Sonst geht er zugrunde."

„Da hilft kein Schirm", sagte Schulze. „Der Reichtum hat eben seine Grenzen."

„Du sprichst, als ob Du früher ein Bankkonto gehabt hättest", meinte Hagedorn. „Meine Mutter behauptet, reich wären nur die, die sonst nichts bekommen haben."

„Das wäre zu gerecht", erklärte Schulze.

„Und zu einfach", sage Hagedorn.

Dann wanderten sie nach Schloß Kerms hinaus.

Nach dem Kaffee ging Hagedorn auf sein Zimmer. Schulze wollte bald nachkommen.

Aber in der Halle tippte Onkel Polter ihm auf die Schulter. „Hier ist eine Liste", sagte er. „Und Geld. Den Rucksack bekommen Sie in der Küche."

„Ich brauche keinen Rucksack", sagte Schulze.

,,Sagen Sie das nicht", meinte der Portier.

Schulze blickte auf die Liste. Sie war sehr lang.

Er sah hoch, lachte und sagte: ,,Ach, so ist das gemeint! Wo soll ich das Zeug holen?"

,,Im Dorf", befahl Onkel Polter. ,,In der Apotheke, beim Friseur, beim Uhrmacher. Beeilen Sie sich!"

,,Darf man schon wissen, was Sie morgen für mich haben?" fragte Schulze. ,,Ich würde furchtbar gern mal Schornstein fegen." Er lachte und ging.

Onkel Polter nagte eine ganze Stunde an der Unterlippe.

Als Herr Kühne ihn sah, fragte er: ,,Sind Sie krank?"

,,Noch nicht", sagte der Portier. ,,Aber dieser Schulze wird immer unverschämter."

,,Streikt er?" fragte Karl der Kühne.

,,Im Gegenteil", meinte der Portier. ,,Morgen möchte er Schornstein fegen!"

,,Einfach tierisch!" sagte Karl der Kühne.

Geheimrat Tobler, alias Herr Schulze war erst nach zwei Stunden mit seiner Last wieder im Hotel. Er brachte den Rucksack in die Küche und begab sich in den fünften Stock. Als er sein Zimmer betrat, bemerkte er einen fremden, gutgekleideten Herrn, der mit dem Kopf unter dem Waschtisch lag, fleißig hämmerte und sogar pfiff. ,,Was wollen Sie hier?" fragte Schulze streng.

Der Fremde fuhr hoch, stieß mit dem Hinterkopf gegen die Tischkante und kam ans Tageslicht. Es war Herr Kesselhuth!

,,Was haben Sie unter meinem Waschtisch zu suchen?" fragte Schulze energisch.

Herr Kesselhuth rieb sich den Hinterkopf und zeigte auf eine Heizsonne, die zu glühen begann. Das Zimmer wurde langsam warm.

„Und hier ist ein Kistchen Zigarren", sagte Johann.

„Nun aber raus!" meinte der Geheimrat. „Sie hätten Weihnachtsmann werden sollen!"

Doktor Hagedorn lag müde auf seinem Sofa, als es klopfte. „Warum kommst du so spät, Eduard?" fragte er.

Aber der Besucher antwortete: „Ich heiße nicht Eduard, sondern Hortense." Kurz und gut, es war Frau Casparius. Sie war gekommen, um mit den siamesischen Katzen zu spielen. Das tat sie dann auch. Aber nicht lange. Sie setzte sich in einen Lehnstuhl, zog die Beine hoch und legte die Arme um die Knie. „Wir könnten die Koffer packen", meinte sie leise, „und zusammen wegfahren! Nach Garmisch!"

"Garmisch ist sicher schön", sagte er. „Aber Eduard wird es wohl nicht erlauben."

„Was geht uns Eduard an?" fragte sie ärgerlich.

Es klopfte. Er rief: „Herein!"

Schulze trat ein. „Entschuldige, Fritz. Ich hatte etwas zu besorgen. Bist du allein?"

„Sofort!" sagte Frau Casparius, sah durch Herrn Schulze hindurch, als wäre er aus Glas, und ging.

Fragen

Was schrieb Frau Hagedorn an ihren Sohn?

Worüber sprachen die drei Männer nach dem Lunch?

Warum sollte Herr Schulze in die Stadt?

Wer war bei Herrn Hagedorn, als Schulze kam?

14 Die Liebe auf den ersten Blick

Am nächsten Nachmittag geschah etwas Außergewöhnliches. Hagedorn verliebte sich. Er tat dies im Hotelbus, der neue Gäste vom Bahnhof brachte. Einer der Passagiere war ein junges, reizendes Mädchen. Neben ihr saß eine dicke, ältere Frau, die von dem Mädchen „Tante Julchen" genannt wurde.

Hagedorn hätte Tante Julchens Nichte stundenlang anstarren können. Außerdem wurde er das Gefühl nicht los, das junge Mädchen schon einmal gesehen zu haben. Tante Julchen war sehr um die Koffer besorgt, und bei jeder Kurve griff sie sich ans Herz und jammerte vor Schreck.

Das junge Mädchen sah ihn an, und dieser Blick gab ihm den Rest.

Vorm Hotel half er den beiden beim Aussteigen. Tante Julchen kümmerte sich um die Koffer. Hagedorn und das junge Mädchen waren allein.

„Das ist aber ein schöner Schneemann", rief sie.

„Er heißt Kasimir. Den haben Eduard und ich gemacht", sagte er stolz. „Und ein Bekannter, der eine große Schiffahrtslinie besitzt. Eduard ist mein Freund."

„Aha!" sagte sie.

„Werden Sie lange hierbleiben?" fragte er.

Sie schüttelte den Kopf. „Ich muß bald wieder nach Berlin zurück."

„Ich bin auch aus Berlin", meinte er. „Welch ein Zufall."

Geheimrat Tobler hielt, oben im fünften Stock, sein Nachmittagsschläfchen. Da wurde die Tür aufgerissen. Hagedorn stand im Zimmer und fragte überrascht: „Wo hast du denn die Heizsonne her, Eduard?"

„Das ist ein Geschenk", sagte Schulze schläfrig.

„Mensch! Schulze!" stieß Hagedorn hervor. „Ich mußte es dir sofort sagen. Ich bin verloren. Ich habe mich soeben verliebt!"

„In die Mallebré oder die aus Bremen?"

„Doch nicht in die! In ein enorm hübsches, junges Mädchen, das eben aus Berlin hier angekommen ist. Zusammen mit einer Tante, die Julchen heißt!"

„Wie kannst du dich nur in eine dumme Gans verlieben, die mit ihrer Tante Julchen hier auf Männerfang ist?" fragte Schulze.

„Sie ist keine dumme Gans", sagte Hagedorn beleidigt, „sondern meine kommende Gemahlin. Schau sie dir erst mal an! Wenn du sie siehst, wird dir die Luft wegbleiben!"

Hagedorn setzte sich in die Halle, blickte auf den Fahrstuhl und wartete ungeduldig auf das junge Mädchen und die Zukunft. Dann fiel ihm plötzlich ein, daß man zum Heiraten Geld braucht. Und er hatte keins. Er war mißmutig.

„Sie sehen aus, als wollten Sie ins Kloster gehen", sagte jemand hinter ihm.

Er fuhr hoch. Es war Tante Julchens Nichte.

Er blickte sie lange an. So lange, bis sie die Augenlider senkte. Dann hustete er und sagte: „Man hält mich hier für einen Millionär. Außer Herrn Kesselhuth und Eduard weiß noch keiner, daß ich es nicht bin. Ich bin ein stellungsloser Akademiker."

„Und warum haben Sie das Mißverständnis nicht aufgeklärt?" fragte sie.

Nicht wahr?" meinte er. ,,Ich wollte auch, aber Eduard wollte nicht."

,,Wer ist denn dieser Eduard", fragte sie.

,,Eduard und ich haben das Preisausschreiben der Toblerwerke gewonnen. Dafür wohnen wir hier," sagte er.

,,Davon habe ich in der Zeitung gelesen", sagte sie. ,,Dann sind Sie also Doktor Hagestolz?"

,,Hagedorn", verbesserte er. ,,Vorname Fritz."

Sie wurde rot und sagte: ,,Ich heiße Hildegard".

,,Der schönste Vorname", sagte er.

,,Nein", sagte sie. ,,Fritz gefällt mir besser!"

,,Ich meine die weiblichen Vornamen."

Sie lächelte. ,,Dann sind wir uns ja einig."

,,Das wäre wundervoll", sagte er und nahm ihre Hand.

Endlich trat Schulze aus dem Fahrstuhl. Hagedorn sagte zu Tante Julchens Nichte: ,,Jetzt kommt Eduard!" Dann ging er dem Freund entgegen und flüsterte: ,,Das ist sie."

,,Was du nicht sagst!" antwortete Schulze spöttisch. ,,Ich dachte schon, es wäre die nächste."

Das junge Mädchen hob den Kopf und sagte: ,,Das ist gewiß Ihr Freund Eduard. So hab ich ihn mir vorgestellt."

Hagedorn nickte fröhlich: ,,Jawohl. Das ist Eduard. Und das ist ein gewisses Fräulein Hildegard."

Schulze war wie vor den Kopf geschlagen.

Hagedorn lachte. ,,Du siehst aber komisch aus."

Schulze sah das junge Mädchen vernichtend an. Dann sagte er: ,,Fritz, hole mir doch schnell meine Baldriantropfen. Ich habe Magenschmerzen."

Hagedorn sprang auf und fuhr nach oben.

„Sie haben Magenschmerzen?" fragte Tante Julchens Nichte.

„Halte den Schnabel!" sagte der Geheimrat wütend. „Was willst du hier?"

„Nur nachsehen, wie's dir geht, lieber Vater", sagte Fräulein Hilde.

Der Geheimrat trommelte mit den Fingern auf die Tischplatte: „Was fällt dir ein? Erst telephonierst du hinter meinem Rücken mit dem Hotel, und vier Tage später kommst du selber an!"

„Aber Papa", antwortete die Tochter. „Es hat ja doch nichts genützt. Man hält doch Herrn Hagedorn für den Millionär. Er hat es mir eben erzählt."

„Seit wann hast du eine Tante Julchen?" fragte er.

„Seit heute morgen, lieber Vater. Willst du sie kennenlernen? Dort kommt sie gerade!"

Aber als Frau Kunkel den violett gekleideten Mann neben Fräulein Hilde erblickte, machte sie kehrt und wollte schnell verschwinden.

„Schaffe mir sofort diese idiotische Person her!" knurrte der Geheimrat.

Hilde holte die Kunkel zurück und stellte vor: „Herr Schulze – Tante Julchen."

Weil der Portier gerade herüberschaute, mußte sich Tobler erheben. Er verbeugte sich höflich, setzte sich wieder und fragte: „Seid ihr denn verrückt geworden?"

„Nur ich", sagte Tante Julchen. „Ist ja auch kein Wunder nach alledem was wir erfahren haben."

„Also, Herr Kesselhuth hat geklatscht", sagte Tobler wütend. „Ihr macht mir hier alles kaputt. Ich habe hier einen Freund gefunden. So etwas braucht ein Mann. Dann kommt ihr an. Er stellt mir meine eigene Tochter vor. Und oben im Zimmer hat er mir vorher erklärt, daß er dieses Mädchen heiraten will!"

„Welches Mädchen?" fragte Fräulein Hilde.

„Dich", sagte der Vater. „Wie sollen wir ihm nun erklären, wie sehr wir ihn angeführt haben? Und wenn er die Wahrheit kennt, schaut er uns doch gar nicht mehr an!"

„Wer will Fräulein Hildegard heiraten?" fragte Frau Kunkel.

„Fritz", sagte Hilde hastig. „Ich meine, der junge Mann."

„Aha", bemerkte Tante Julchen. „Ein reizender Mensch. Aber Geld hat er keins."

Fragen

Wen sah Herr Hagedorn im Bus?

Von wem wurde Schulze am Nachmittag geweckt?

Mit wem sprach Hagedorn in der Halle?

Warum schickte Schulze Herrn Hagedorn fort?

Warum war Schulze so böse auf die beiden Damen?

15 *Drei Fragen hinter der Tür*

Als Hagedorn mit den Baldriantropfen ankam, saßen die drei friedlich zusammen am Tisch.

Ihr gemeinsames Geheimnis einte sie.

„Tante Julchen ist auch da!" sagte er freudig. „Sind die Koffer ausgepackt? Und wie finden Sie meinen Freund Eduard?"

„Er gefällt mir", anwortete sie mit Nachdruck.

„Eduard, hier sind die Tropfen", meinte Hagedorn.

Und dann mußte er die Tropfen nehmen, obwohl er nicht wollte, und Hilde freute sich über die Gesichter, die ihr Vater schnitt.

Ja und dann kehrte Herr Kesselhuth von der vierten Skistunde zurück. Er hinkte stark. Er sah sich suchend um und entdeckte den Tisch an dem Hagedorn und Schulze saßen. Und die beiden Frauen. Da wurde ihm übel. Am liebsten wäre er in ein Mauseloch gekrochen. Aber es war keins da. Er humpelte hinüber.

„Was ist denn Ihnen passiert?" fragte Schulze.

„Es ist nicht sehr gefährlich", meinte Kesselhuth. „Ich bin nur gegen den Skilehrer gefahren."

Der Junge Mann machte dann die Herrschaften miteinander bekannt. Man gab sich die Hände. Es war sehr förmlich.

„Sie sind bestimmt der Herr, dem die Schiffahrtslinie gehört?" fragte Hilde.

„So ist es", sagte Kesselhuth nervös. Er wollte

Drei Fragen hinter der Tür: ein Gesellschaftsspiel

schnell weg. Darum sagte er weiter: ,,Ich muß mich umziehen. Darf ich die Anwesenden bitten, heute abend meine Gäste zu sein?''

,,Das dürfen Sie'', sagte Schulze. ,,Wir werden sehen, wieviel Tante Julchen verträgt.''

,,Ich trinke euch alle unter den Tisch'', sagte sie.

Hagedorn verzehrte Hilde mit den Augen. Plötzlich lachte er: ,,Ich weiß ja noch gar nicht Ihren Familiennamen.''

,,Nein?'' fragte sie. ,,Stellen Sie sich vor: Ich heiße genau so wie Ihr Freund Eduard!''

,,Eduard'', sagte der junge Mann. ,,Wie heißt du? Ach so. Ich bin ganz durchgedreht. Sie heißen Schulze?''

,,Genau wie Ihr Freund'', sagte sie.

Da bekam Tante Julchen einen Hustenanfall. Hilde mußte sie schnell wegfüren. Auf der Treppe sagte Frau Kunkel: ,,Wenn das mal gut geht.''

,,Ist das Mädchen nicht wundervoll?'' fragte Fritz.

,,Doch'', meinte Schulze sauer.

,,Für wie alt hältst du sie eigentlich?''

,,Im August wird sie einundzwanzig Jahre.''

Fritz lachte. ,,Laß die Witze, Eduard! Findest du nicht auch, daß ich sie heiraten muß?''

,,Na ja'', sagte Schulze. ,,Meinetwegen. Aber vielleicht hat sie keinen Pfennig Geld.''

,,Ich habe auch keins. Morgen frage ich sie, ob sie meine Frau werden will, und sobald ich eine Stellung habe, wird geheiratet.'' Hagedorn begann zu schwärmen. ,,Ich suche alle Berliner Firmen auf.''

,,Vielleicht klappt es bei den Toblerwerken'', sagte Schulze.

„Wer weiß", sagte Hagedorn. „Jedenfalls gehen wir zu dem alten Tobler. Und wir gehen nicht wieder fort, bis er uns angestellt hat."

„Großartig", sagte Schulze. „Wenn er das nicht tut, hat er sein eigenes Glück nicht verdient."

„Du sagst es", erklärte Fritz. „Aber so dumm wird er ja nicht sein. Vielleicht frage ich sie schon heute abend, ob sie meine Frau werden will."

„Und wenn sie nicht will? Und wenn ihre Eltern es nicht wollen?"

„Vielleicht hat sie keine mehr. Das wäre das beste!"

„Sei nicht so roh, Fritz!" sagte Schulze. „Und wenn ihr Bräutigam nicht will?"

„Mach mir keine Angst, Eduard!" sagte Hagedorn. Er wurde blaß. Er stand auf und lief die Treppe hinauf.

Geheimrat Tobler sah ihm lächelnd nach.

Dann kam Kesselhuth zurück, schon im Smoking. Er setzte sich und fragte: „Sind Sie mir sehr böse, Herr Geheimrat?"

„Schon gut, Johann!" sagte Tobler. „Es ist nicht mehr zu ändern. Wissen Sie schon das Neueste? Doktor Hagedorn wird sich verloben!"

„Mit wem denn, wenn man fragen darf?"

„Mit Fräulein Hildegard Schulze!"

Johann strahlte wie eine Sonne. „Das ist recht", meinte er. „Da werden wir bald Großvater."

Endlich fand Hagedorn die Zimmer von Tante Julchen und ihrer Nichte.

„Das gnädige Fräulein hat einundachtzig", sagte das Stubenmädchen und knickste.

Er klopfte.

Er hörte Schritte. ,,Was gibt's?"

,,Ich muß Sie etwas fragen", sagte er bedrückt.

,,Das geht nicht", antwortete Hildes Stimme. ,,Ich bin beim Umziehen."

"Dann spielen wir drei Fragen hinter der Tür."

,,Also los", sagte sie und legte ein Ohr an die Tür. Sie hörte aber nur ihr eigenes Herz. ,,Frage eins?"

,,Genau wie die zweite", sagte er.

,,Und wie ist die zweite Frage?"

,,Genau wie die dritte Frage", sagte er.

,,Und die dritte?"

Er räusperte sich. ,,Haben sie schon einen Bräutigam, Hilde?"

Sie schwieg lange. Er schloß die Augen. Dann hörte er, es schien eine Ewigkeit vergangen zu sein, die drei Worte: ,,Noch nicht, Fritz."

,,Hurra!" rief er und rannte davon.

Tante Julchen öffnete vorsichtig ihre Tür und schaute hinaus. Dann murmelte sie: ,,Diese jungen Leute!"

Fragen

Was war mit Herrn Kesselhuth passiert?

Warum war es keine Lüge, als Hilde sagte, daß sie genau so wie Hagedorns Freund heiße?

Was wollte Hagedorn Hilde am nächsten Tag fragen?

Wonach fragte Hagedorn Hilde hinter der Tür?

16 Auf dem Wolkenstein

Frau Kunkel hatte am Abend niemanden unter den Tisch getrunken. Als sie am Tage nach ihrer Ankunft in Bruckbeuren aufwachte, hatte sie Kopfschmerzen und konnte sich an nichts mehr erinnern. Ihr Frühstück bestand aus Kopfschmerzentabletten.

„Habe ich sehr viel Dummheiten gemacht?" fragte sie.

„Das wäre nicht so schlimm gewesen", meinte Hilde. „Aber Sie begannen die Wahrheit zu sagen! Deswegen mußte ich immerzu mit Doktor Hagedorn tanzen."

„Eines Tages wird er es ja doch erfahren müssen!"

„Gewiß, meine Dame. Aber weder am ersten Abend, noch von meiner betrunkenen Tante, die nicht einmal meine Tante ist."

Frau Kunkel war beleidigt.

Dann sagte sie: „Ich verstehe Sie nicht. So ein arbeitsloser Doktor ist doch keine Partie für Sie!"

„Nun werden sie nicht komisch", sagte Hilde. „Partie! Ist die Ehe etwa ein Ausflug?" Dann ging sie zur Tür. „Kommen Sie", rief sie. „Wir werden eine Partie machen! Die anderen warten schon."

Sie traten ins Freie. Und Frau Kunkel fragte: „Wohin soll denn die Reise gehen?"

Herr Schulze zeigte auf die Berge, und Doktor Hagedorn rief: „Auf den Wolkenstein!"

Tante Julchen schauderte. „Ich komme gleich", sagte sie. „Ich habe meine Handschuhe vergessen."

„Bleiben Sie nur", sagte Kesselhuth schadenfroh. „Sie können meine haben."

Tante Julchen und die beiden älteren Herren machten es sich oben in den Liegestühlen bequem.

„Ich glaube, wir stören", flüsterte Hagedorn.

Schulze hatte scharfe Ohren. „Fort mit euch!" befahl er. „Aber in einer Stunde seid ihr wieder da. Und vergiß nicht, Fritz, daß ich auf dich aufpasse!"

„Mein Gedächtnis hat etwas gelitten", sagte er. Dann gingen Hilde und er davon.

Aber er wurde noch einmal aufgehalten. Von der Mallebré. Resigniert sah sie ihn an und sagte: „Guten Tag, Herr Doktor!"

„War das eine Anbeterin?" fragte Hilde.

„Sie wollte mal von mir gerettet werden", sagte er.

Etwas später trafen sie Frau Casparius. Als sie Hilde erblickte, bekam sie böse Augen und sagte: „Hallo Doktor! Was machen ihre Katzen?"

„Wollte diese freche Person auch von Ihnen gerettet werden? Und was meinte sie mit den Katzen?" fragte Hilde.

„Nein, sie wollte mit mir fortreisen. Und einmal kam sie auf mein Zimmer und spielte mit den Katzen. Dann kam Eduard, und da ging sie wieder."

„Das ist ja allerhand", meinte Hilde. „Ich glaube, Herr Doktor, auf Sie müßte jemand aufpassen."

„Das tut doch Eduard schon", erklärte er.

„Das ist doch keine Aufgabe für einen Mann."

„Dann setze ich eine Annonce in die Zeitung", sagte er. „Kinderfräulein gesucht. Kost und Logis gratis. Liebevolle Behandlung zugesichert."

„Jawohl", antwortete sie böse. „Mindestens sechzig Jahre alt!" Und dann lief sie wütend davon. In den Schnee hinaus. Aber weit kam sie nicht. Plötzlich sank sie ein. Es sah aus, als ob sie ganz im Schnee ertrinken sollte.

Er lief ihr nach, bückte sich, zog sie aus dem Schnee, legte beide Arme um sie und küßte sie auf den Mund.

Später sagte sie: „Du Halunke! Du Mädchenhändler!" Und dann gab sie ihm den Kuß zurück. Mit Zinsen. Und langsam legte sie ihre Hände um seinen Kopf und schloß die Augen.

„Na, wie war's", fragte Schulze, als sie wiederkamen.

„Das läßt sich schwer beschreiben", sagte Hagedorn.

Die Tante fuhr elektrisiert hoch. „Was ist denn geschehen?"

Fritz erklärte: „Hilde und ich haben beschlossen, die nächsten fünfzig Jahre zueinander du zu sagen."

„Und dann?" fragte Tante Julchen.

„Dann lassen wir uns scheiden", behauptete die Nichte.

„Haben Sie zufällig Angehörige", fragte dann Schulze.

„Ich habe zufällig einen Vater", sagte Hilde.

„Ist er wenigstens nett?" fragte Hagedorn.

„Es geht", sagte sie. „Glücklicherweise hat er viele Fehler. Und wenn er nicht mit uns zufrieden ist, grüßen wir ihn nicht mehr auf der Straße. Das kann er nämlich nicht leiden."

„Oder wir machen ihn schnell zum zehnfachen Großvater. Das wirkt immer."

Und Schulze sagte: „Das ist recht. Ihr werdet ihn schon kleinkriegen."

Und dann fuhren sie alle nach Bruckbeuren zurück.

Fragen

Worüber sprachen Hilde und Frau Kunkel am Morgen?

Wohin gingen Hilde und Hagedorn?

Was geschah auf ihrem Spaziergang?

Was sagten die anderen dazu?

17 Hoffnungen und Pläne

Während die älteren Herrschaften nach dem Mittagessen schliefen, gingen Hildegard und Fritz in den Wald. Sie faßten sich bei den Händen. Sie blickten einander von Zeit zu Zeit lächelnd an. Sie küßten sich und strichen einander zärtlich übers Haar. Sie spielten Verstecken. Sie schwiegen meist. Das Glück lag auf ihren Schultern wie viele Zentner Konfekt.

Nach einiger Zeit wurde er ernst. „Wieviel Geld muß ich verdienen, damit wir heiraten können? Sind fünfhundert Mark genug? Was kostet der Ring an deinem Finger?"

„Zweitausend Mark."

„Ach, du lieber Gott!"

„Das ist doch schön", sagte sie. „Den können wir *versetzen*!"

„Wir werden von dem leben, was ich verdiene, und nicht von dem, was du versetzst!" rief er erregt.

„Vier Monate könnten wir von dem Ring leben, wenn du nicht ein solcher Dickkopf wärst! In einer Dreizimmerwohnung. Wenn ich dir nicht helfen darf, schmeiß ich den dummen Ring in den Schnee!" Und sie tat es wirklich. Und dann krochen die beiden auf allen vieren im Wald umher. Endlich fand er ihn wieder.

„Und du meinst wirklich, fünfhundert Mark sind genug?" fragte er.

„Natürlich", sagte sie. „Und jetzt reden wir nicht mehr vom Geld! Jetzt fällt Klein-Hildegard in

---

versetzen: etwas als Pfand für Geld geben

Ohnmacht." Sie machte sich stocksteif, fiel in seine ausgebreiteten Arme, blinzelte ihn mit fast geschlossenen Augen an und spitzte die Lippen.

In der Halle saßen Geheimrat Tobler, Johann Kesselhuth und Frau Kunkel und tranken Kaffee.

Da kam Onkel Polter an ihren Tisch. „Die Direktion bittet Sie, Herr Schulze, für ein paar Stunden in der Skihalle aufzupassen. Bis die letzten Gäste zurück sind", sagte er.

Herr Schulze schüttelte den Kopf. „Ich mag heute nicht. Vielleicht ein andermal. Außerdem dachte ich, daß ich den Schornstein fegen dürfte."

Da legte der Portier seine Hand auf Schulzes Schulter und sagte. „Folgen Sie mir endlich! Ein bißchen plötzlich, bitte!"

Nun aber drehte Schulze sich herum und schlug dem Portier energisch auf die Finger. „Nehmen Sie sofort die Hand von meinem Anzug!" sagte er böse.

Der Portier war wütend. „Wir sprechen uns noch", sagte er kurz und ging.

„Unverschämt", sagte Frau Kunkel.

„Ruhe", flüsterte Tobler. „Die Kinder kommen."

Doktor Hagedorn hatte einen Einschreibebrief bekommen. Als er ihn oben im Zimmer öffnete, fiel ein Blatt Papier heraus. Ein Scheck über fünfhundert Mark! Er war ganz verwirrt. Dann las er den Brief und rannte aus dem Zimmer.

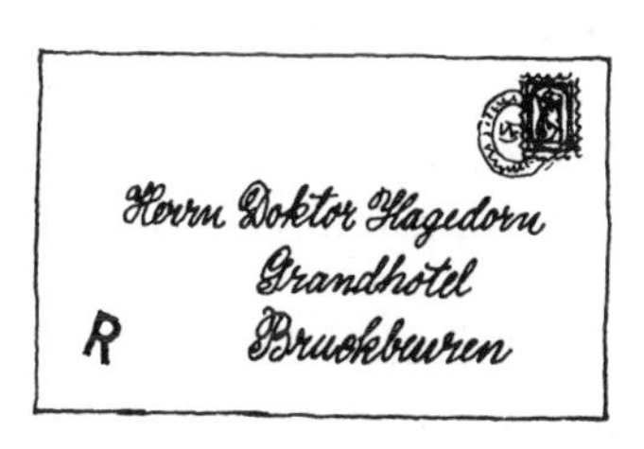

Beim Portier gab er ein Telegramm auf. Es lautete: „Fleischerei Kuchenbuch. Charlottenburg Mommsenstraße 7. Anrufe Dienstag 10 Uhr stop erbitte Mutter ans Telephon stop freudige Mitteilung stop Fritz Hagedorn."

Als er in den Speisesaal trat, saßen die anderen schon am Tisch.

„Ich bin ganz verwirrt." sagte er. „Ich habe eben eine Stellung bekommen mit achthundert Mark im Monat. Du sicher auch, Eduard. Man schreibt nämlich, daß wir geschäftlich miteinander zu tun haben werden. Ich bin so glücklich. Und vielen Dank, Herr Kesselhuth. Meiner Mutter habe ich telegraphiert. Und morgen schicke ich ihr zweihundert Mark, denn fünfhundert Mark habe ich sofort bekommen. Damit ich mich hier gut erholen kann. Und nun können wir heiraten", sagte er und blickte verliebt auf Hilde.

„Welche Firma hat Sie denn engagiert?" Alle fragten wie aus einem Mund.

„Die Toblerwerke", sagte er stolz.

Da bekam Tante Julchen einen schweren Hustenanfall und Hilde mußte sie schnell aufs Zimmer bringen.

Am gleichen Abend kam Frau Casparius zu Onkel Polter. Sie lächelte, griff in ihre Handtasche und gab ihm fünfhundert Mark.

„Was kann ich für Sie tun, gnädige Frau?" fragte der Portier.

„Sorgen Sie dafür, daß Herr Kühne morgen mit Schulze spricht und ihm vorschlägt, das Hotel zu verlassen. Bieten Sie ihm dreihundert Mark. Wenn er morgen nachmittag nicht verschwunden ist, reise ich ab und komme nie wieder. Sagen Sie Herrn Kühne das!"

Der Portier nahm das Geld, verbeugte sich und dankte. „Ich werde tun, was ich kann", sagte er.

Sie nickte flüchtig und ging in die Bar. Ihr Abendkleid rauschte. Es klang, als flüsterte es in einem fort seinen Preis.

Fragen

Worüber stritten sich Hilde und Hagedorn?

Was passierte zwischen Herrn Schulze und dem Portier?

Was hatte Hagedorn bekommen?

Was bedeutete das für ihn?

Was wollte Frau Casparius vom Portier?

18 Verlorene Illusionen

Am nächsten Morgen kurz nach acht Uhr klingelte es bei Frau Hagedorn in der Mommsenstraße. Die alte Dame öffnete.

Draußen stand der Lehrling von Fleischermeister Kuchenbuch. „Einen schönen Gruß vom Meister", sagte er. „Und um zehn Uhr wird der Doktor Hagedorn aus den Alpen anrufen. Und Sie brauchten nicht zu erschrecken."

„Da soll man nicht erschrecken!" sagte die alte Dame, und war ganz aufgeregt.

Punkt neun war Frau Hagedorn schon bei Kuchenbuchs im Laden. „Eine Stunde zu früh", sagte sie. „Ich weiß. Aber zu Hause habe ich keine Ruhe."

Als dann kurz nach zehn endlich das Telephon klingelte, preßte sie den Hörer fest ans Ohr. „Hoffentlich verstehe ich ihn deutlich. Er ist so weit weg!" sagte sie zu Frau Kuchenbuch. Dann strahlte plötzlich ihr Gesicht. „Ja?" rief sie. „Hier Hagedorn! Fritz, bist du's? Hast du dir ein Bein gebrochen? Nein? Da bin ich aber froh, mein Junge. Was sagst du? Was gibt's? Junge, Junge! Mach keine Witze. Achthundert Mark im Monat? Hier in Berlin? Das ist aber schön. Was hast du? Du hast dich verlobt? Auch das noch! Hildegard Schulze? Kenne ich nicht. Ich werde mir das Fräulein erst mal ansehen. Lade sie zum Abendessen bei uns ein. Was hast du abgeschickt? Zweihundert Mark? Ich brauche doch nichts. Also gut. Ich kaufe dir ein paar Hemden dafür."

Nun hörte die alte Dame noch eine Weile zu. Dann sagte sie. „Also, mein lieber Junge, bleibe gesund. Ja. Natürlich. Ja, Ja. Ja! Auf Wiedersehen!"

Und nachher kaufte Frau Hagedorn noch gleich ein Stück gekochten Schinken. Der Tag mußte gefeiert werden.

An diesem Tag taute es.

Fritz war früh in der Bank gewesen und hatte den Scheck eingelöst. Dann hatte er im Postamt das Gespräch mit Berlin bestellt und, während er auf die Verbindung wartete, zweihundert Mark für seine Mutter eingezahlt.

Jetzt, nach dem Gespräch, ging er durch die Stadt und kaufte ein. Das ist, wenn man jahrelang jeden Pfennig zehnmal hat umdrehen müssen, etwas Wunderbares.

Für Herrn Kesselhuth kaufte er eine Kiste Zigarren. Für Eduard einen alten Zinnkrug. Für Hilde Ohrgehänge aus Jade, Gold und Halbedelsteinen. Für Tante Julchen einen mächtigen Blumenstrauß. Er bat die Verkäuferin im Blumengeschäft, die Geschenke ins Hotel zu bringen. Sich selber schenkte er nichts.

Anderthalb Stunden war er im Ort. Als er zurückkam, sah Kasimir, einmal der schönste Schneemann, jämmerlich aus. Er konnte das Tauwetter nicht vertragen. „Fahr wohl, lieber Kasimir", sagte Hagedorn und betrat das Hotel. Hier war inzwischen viel geschehen.

*

Das Unheil hatte ganz einfach damit begonnen, daß Geheimrat Tobler, seine Tochter, die Kunkel und Johann frühstückten.

Da traten der Portier und Direktor Kühne feierlich in den Saal und näherten sich dem Tisch.

„Die sehen heute aber merkwürdig aus", konnte der Geheimrat noch sagen.

Da machte Karl der Kühne auch schon eine Verbeugung und sagte: „Herr Schulze, wir möchten Sie eine Minute sprechen, nebenan im Schreibzimmer."

„Da können Sie lange warten", meinte Herr Schulze.

Darauf antwortete der Direktor: „Es ist in einer nicht ganz behaglichen Angelegenheit."

„Großartig", sagte Tante Julchen. „Ich schwärme für so was."

„Wie Sie wünschen", erwiderte der Direktor. „Ich hätte es Herrn Schulze, um ihn zu schonen, lieber unter vier Augen gesagt. Kurz und gut. Einige Gäste haben sich über Sie beschwert, und darum bitte ich Sie, unser Haus zu verlassen. Ein Gast bietet Ihnen zweihundert Mark, die Sie bekommen, sobald Sie das Hotel verlassen.

„Warum wirft man mich eigentlich hinaus? Bin ich ein Schandfleck?" fragte Herr Schulze.

„Ein Mißton", sagte der Portier.

„Armut ist also eine Schande", meinte Schulze.

Aber Onkel Polter zerstörte die Illusion. „Wenn ein Millionär im Armenhaus wohnen wollte, dann wäre er dort ein Mißton."

„Gut, ich reise", sagte Schulze. „Herr Kesselhuth, wollen Sie mir einen Wagen besorgen? In zwanzig Minuten fahre ich."

„Ich komme natürlich mit", sagte Herr Kesselhuth. ,,Portier, meine Rechnung. Aber ein bißchen plötzlich!"

,,Warum wollen Sie denn reisen?" rief der Direktor.

Tante Julchen lachte böse. ,,Sie sind wirklich reichlich dumm. Für meine Nichte und mich die Rechnung. Aber ein bißchen plötzlich!"

Der Direktor murmelte: ,,Einfach tierisch!"

,,Wo sind die zweihundert Mark?" fragte Schulze streng.

Der Portier reichte sie ihm, und Schulze winkte dem Kellner, gab ihm die zweihundert Mark und sagte: ,,Die Hälfte davon bekommt der Arbeiter, dem ich auf der Eisbahn helfen durfte. Vergessen Sie's nicht!"

Er sah den Portier und den Direktor kalt an. ,,Verschwinden Sie!" Sie folgten wie die Schulkinder. Geheimrat Tobler und Hilde waren allein.

,,Und was wird mit Fritz?" fragte Fräulein Tobler.

,,Das bringen wir in Berlin in Ordnung", sagte der Geheimrat.

Zwanzig Minuten später waren alle zum Abreisen fertig. Das Auto war angekommen. Erst kamen Hilde und Tante Julchen. Hilde gab dem Portier einen Brief. ,,Für Doktor Hagedorn", sagte sie. Dann kamen Schulze und Kesselhuth. Schulze legte einen Brief für Fritz auf den Portiertisch.

Bei der Abfahrt zeigte Kesselhuth auf die Reste des Schneemannes Kasimir. Schulze lächelte. Er dachte an die Nacht, als sie ihn zusammen gebaut hatten. ,,Schön war's doch", murmelte er.

*

Als Hagedorn ins Hotel zurückkam, übergab der Portier ihm zwei Briefe. ,,Nanu", sagte Fritz, setzte sich in die Halle und riß die Kuverts auf.

Das erste Schreiben lautete: ,,Mein lieber Junge! Ich muß unerwartet und sofort nach Berlin zurück. Es tut mir leid. Auf baldiges Wiedersehen. Herzliche Grüße. Dein Freund Eduard."

Auf dem zweiten Briefbogen stand: ,,Mein Liebling! Wenn du diesen Brief liest, bin ich auf dem Wege nach Berlin. Komme bitte bald dorthin, Deine kommende Frau Hilde Hagedorn."

,,Was ist geschehen?" fragte er den Portier.

,,Einige Gäste haben sich über Schulze beschwert, und darum bat der Direktor Herrn Schulze abzureisen. Das tat er denn auch sofort. Da sind die andern auch abgereist. Und damit hatten wir nicht gerechnet."

,,Ich reise auch", sagte Doktor Hagedorn. ,,Sie haben mich hier für einen Millionär gehalten. Ich war aber keiner. Man hat Sie genarrt!"

Er packte schnell seine Sachen. Als er eben das Hotel verlassen wollte, brachte die Verkäuferin seine Geschenke. Er steckte schnell die Sachen ein und ging. Den Blumenstrauß konnte die Verkäuferin behalten.

Plötzlich verstand der Portier alles. ,,Der Mann, den wir eben rausgeworfen haben, war der Millionär", sagte er. ,,Einfach tierisch", sagte Herr Kühne.

Am gleichen Abend verließ Frau Casparius das Hotel. Sie wolle niemals wieder nach Bruckbeuren kommen, ließ sie dem Portier sagen.

Fragen

Was erzählte Herr Hagedorn seiner Mutter?

Was hatte Herr Hagedorn in der Stadt besorgt?

Warum wollte man Herrn Schulze nicht im Hotel haben?

Was taten die andern, als Herr Schulze reisen mußte?

Was tat Herr Schulze mit dem Geld, das man ihm gab?

Wie reagierte Herr Hagedorn, als er von allem hörte?

19 Viele Familien Schulze

Am nächsten Morgen klingelte es bei Frau Hagedorn. Die alte Dame öffnete. Draußen stand wieder der Lehrling von Fleischermeister Kuchenbuch.

„Telephoniert mein Sohn schon wieder?" fragte sie.

Er schüttelte den Kopf. „Einen schönen Gruß von meinem Meister", sagte er. „Und sie sollten nicht erschrecken. Sie bekommen Besuch."

„Besuch?" meinte die alte Dame. „Darüber erschrickt man doch nicht. Wer kommt denn?"

Von der Treppe rief es: „Kuckuck! Kuckuck!" Eine Etage tiefer saß ihr Junge auf der Treppe.

„Das ist die Höhe", rief sie. „Steh sofort auf und komm herein! Was machst du hier in Berlin?"

Mutter und Sohn spazierten Arm in Arm in die Wohnung. Während sie frühstückten, erzählte Fritz alles. Dann las er beide Abschiedsbriefe vor.

„Da stimmt etwas nicht, mein armer Junge", sagte die Mutter tiefsinnig. „Warum haben weder dein Freund Eduard noch das Mädchen ihre Adressen angegeben? So etwas kann man verlangen."

„Du kennst die beiden nicht", antwortete er. Sonst würdest du das ebenso wenig verstehen wie ich."

„Und was willst du nun?" fragte sie.

„Die beiden suchen!" sagte er und ging.

‚Er geht krumm', dachte sie. ‚Wenn er krumm geht, ist er traurig.'

*

Während der nächsten fünf Stunden hatte Doktor Hagedorn genug zu tun. Er besuchte Leute, die Eduard Schulze hießen. Es war eine vollkommen sinnlose Beschäftigung. Bei dreiundzwanzig Schulzes klingelte er an der Tür, und dreiundzwanzigmal fand er nicht den, den er suchte. Traurig fuhr er wieder nach Hause.

Er hatte noch gut fünf Tage zu tun.

Seine Mutter kam ihm aufgeregt entgegen. „Was glaubst du, wer hier war?"

Er wurde lebendig. „War es Hilde?" fragte er. „Oder Eduard?"

„Ach wo", sagte sie.

„Ich gehe schlafen", sagte er müde.

„Tu das, mein Junge. Aber heute abend gehen wir aus."

„Wo sind wir denn eingeladen?" wollte er wissen.

Sie faßte seine Hand. „Bei Geheimrat Tobler."

Er war ganz verwirrt.

„Ist das nicht großartig?" fragte sie eifrig. „Denke dir an! Sein Chauffeur war hier und sagte: ‚Geheimrat Tobler bittet Sie und Ihren Sohn, heute abend seine Gäste zu sein. Er möchte seinen neuen Mitarbeiter kennenlernen. Kommen Sie bitte nicht zu vornehm gekleidet. Das liebt der Geheimrat nicht. Paßt es Ihnen um acht Uhr?' Er wollte uns im Wagen abholen. Aber wir fahren mit der Straßenbahn. Sie hält dort."

„Da müssen wir wohl hingehen", meinte er.

„Das müssen wir", sagte sie. Erst kommt das Geschäft. Das andere bringen wir dann auch in Ordnung. Kopf hoch, mein Junge!"

Er lächelte bekümmert. Dann ging er aus dem Zimmer.

Fragen

Wie sah Herr Hagedorn aus, als die Mutter ihn sah?

Warum konnte Herr Hagedorn Hilde nicht finden?

Was konnte die Mutter ihm erzählen?

Warum freute er sich nicht über die Einladung?

20 Das dicke Ende

Fritz Hagedorn und seine Mutter folgten dem Diener, der ihnen das Tor geöffnet hatte. Auf der Treppe flüsterte die Mutter: ,,Du, das ist ja ein Schloß!"

In der Halle nahm ihnen der Diener die Hüte und Mäntel ab. Dann öffnete er eine Tür. Sie traten ein. Am Fenster in dem kleinen Salon saß ein Herr. Jetzt erhob er sich.

,,Eduard!" rief Fritz. ,,Daß du wieder da bist! Der alte Tobler hat dich auch eingeladen? Mutter, das ist mein Freund Eduard. Und das ist meine Mutter."

Die beiden begrüßten sich. ,,Schämst du dich nicht, daß du mich in Bruckbeuren allein zurückgelassen hast?" fragte Fritz. ,,Und warum sind Hilde und Tante Julchen und Kesselhuth auch abgefahren? Und einen schönen Anzug hast du an!" Der junge Mann klopfte seinem alten Freund fröhlich auf die Schulter.

Eduard kam nicht zu Worte. Fritz hielt ihn noch immer für Schulze. Es war zum Weglaufen.

Mutter Hagedorn setzte sich. ,,Herr Schulze, ich freue mich, Sie kennengelernt zu haben", sagte sie. ,,Einen haben wir also, mein Junge. Und die Braut werden wir auch noch finden."

Es klopfte. Der Diener trat ein. ,,Fräulein Tobler läßt fragen, ob die gnädige Frau vor dem Essen ein wenig mit ihr *plaudern* möchte."

,,Was denn für eine gnädige Frau?" fragte die alte Dame.

,,Wahrscheinlich sind Sie gemeint", sagte Eduard.

---

plaudern: gemütlich miteinander sprechen

„Das wollen wir aber nicht einführen", knurrte sie. „Ich bin Frau Hagedorn. Das klingt fein genug. Na schön, gehen wir." Sie nickte den zwei Männern vergnügt zu und folgte dann dem Diener.

„Warum bist du denn schon wieder in Berlin?" fragte Eduard.

„Als Polter mir erzählt hatte, was geschehen war, wollte ich doch auch nicht bleiben", sagte Fritz.

„Die Casparius ließ mir durch den Direktor zweihundert Mark anbieten, wenn ich sofort verschwinden würde."

„So ein freches Frauenzimmer", meinte Fritz. „Mich wollte sie verführen. Und du warst ihr da im Wege. Na, die wird geguckt haben, als ich fort war. Aber schön, daß ich jedenfalls dich wieder habe. Nun fehlt mir nur noch Hilde. Hast du ihre Adresse?"

Es klopfte. Ein Diener machte die Tür zum Nebenzimmer auf. Eduard trat ein, und Fritz folgte langsam.

„Aha", sagte Fritz. „Der Arbeitsraum! Eduard, mach keine Witze! Gleich setzt du dich in einen andern Stuhl! Wenn der alte Tobler keinen Spaß versteht, fliegen wir beide sofort raus!"

Eduard hatte sich nämlich in den Stuhl hinter dem Schreibtisch gesetzt.

Da klopfte es wieder. Der Diener trat ein und sagte: „Es ist serviert, Herr Geheimrat!" und ging.

„Was hat er gesagt? Herr Geheimrat? Zu dir?"

Eduard wurde verlegen. „Hör mal zu", sagte er dann. „Es stimmt wirklich. Ich bin der alte Tobler."

„Du bist Tobler? Der Millionär, für den man mich hielt? Deinetwegen hatte ich drei Katzen im Zimmer und Ziegelsteine im Bett?"

Der Geheimrat nickte. „So ist es. Meine Tochter hatte hinter meinem Rücken telephoniert. Und so wurden wir beide bei unserer Ankunft im Hotel verwechselt. Ich hatte doch das Preisausschreiben unter dem Namen Schulze gewonnen."

Hagedorn machte eine steife Verbeugung. „Herr Geheimrat, unter diesen Umständen möchte ich Sie bitten . . ."

Tobler sagte: „Fritz, sprich nicht weiter. Ich weiß, wir haben dich belogen. Aber ist dir unsere Freundschaft so wenig wert, daß du sie jetzt wegwerfen willst, bloß weil ich Geld habe? Ich habe mich als armer Mann verkleidet. Ich wollte die Menschen mal richtig kennenlernen. Nun, der kleine Scherz ist vorüber. Was ich erleben wollte, hat wenig zu bedeuten, jetzt wo ich einen Freund gefunden habe. Endlich einen Freund, mein Junge. Komm, gib dem alten Tobler die Hand." Geheimrat Tobler streckte Fritz die Hand entgegen. „Donnerwetter noch einmal, du Dickkopf! Wird's bald?"

Fritz ergriff die Hand. „Geht in Ordnung, Eduard. Und sei mir nicht böse."

Als sie das Speisezimmer betraten, meinte der Geheimrat: „Wir sind natürlich die ersten. Daß die Frauen immer so lange plaudern müssen!"

„Richtig", sagte Fritz. „Du hast eine Tochter. Wie alt ist sie?"

„Im Heiratsalter. Seit ein paar Tagen verlobt."

„Gratuliere", sagte Fritz. „Nun aber ernsthaft: Weißt du wirklich nicht, wo Hilde wohnt?"

„Sie hat mir ihre Adresse nicht gegeben", antwortete der Geheimrat diplomatisch. ,,Aber du wirst sie schon noch kriegen. Die Hilde und die Adresse."

Durch eine Tür, die sich öffnete, rollte ein Servierwagen. Ein grauhaariger Diener folgte. ,,Guten Abend, Herr Doktor," sagte er.

,,Guten Abend", erwiderte Hagedorn. Dann aber sprang er hoch. ,,Herr Kesselhuth!"

Der Diener nickte: ,,Der bin ich."

,,Ja", erklärte der Geheimrat. ,,Ich wollte nicht allein fahren. Darum mußte Johann, mein alter Diener, mit und den Schiffahrtslinienbesitzer spielen. Er hat seine Rolle glänzend gespielt."

,,Es war nicht leicht", meinte Johann bescheiden.

Fritz drückte ihm die Hand. ,,Jetzt begreife ich auch, warum Sie Eduards Zimmer so schrecklich fanden." ,,Ach, ihr wißt ja noch gar nicht", fuhr er fort, ,,daß ich dem Direktor und dem Portier die Wahrheit sagte, ehe ich abreiste. So lange Gesichter habe ich selten gesehen."

Tobler fragte: ,,Johann, hat Generaldirektor Tiedemann angerufen?"

,,Noch nicht, Herr Geheimrat." Und zu Hagedorn sagte er: ,,Der Toblerkonzern will das Hotel kaufen. Und dann fliegen die beiden raus."

,,Das kannst du nicht machen!" äußerte Fritz. ,,Die hochnäsigen Gäste haben doch die Schuld.

Da kam Hagedorns Mutter hereinspaziert. ,,Ich weiß Bescheid, mein Junge. Fräulein Tobler hat mich eingeweiht. Sie hat große Angst vor dir. Sie ist schuld daran, daß du ein paar Tage Millionär warst. Übrigens ein entzückendes Mädchen, Herr Geheimrat!"

,,Ich heiße Tobler", sagte er. ,,Sonst nenne ich Sie gnädige Frau!"

„Ein bezauberndes Mädchen, Herr Tobler!" meinte die alte Dame. „Schade, daß ihr beiden schon verlobt seid, Fritz!"

„Wir könnten ja Doppelhochzeit feiern", schlug Fritz vor.

„Das wird sich nicht machen lassen", erklärte der Geheimrat.

Plötzlich klatschte Frau Hagedorn dreimal in die Hände. Ein junges Mädchen und eine alte Frau traten ein.

Der junge Mann stieß unartikulierte Laute aus und rannte auf das Mädchen zu und umarmte es. „Endlich", flüsterte er nach einer Weile.

„Mein Liebling", sagte Hildegard. „Bist du mir sehr böse?"

„Machen Sie ihre Braut nicht kaputt", meinte die Dame neben ihm.

Er trat einen Schritt zurück. „Tante Julchen? Wie kommt ihr hierher? Ach so, Eduard hat euch eingeladen, um mich zu überraschen."

Das junge Mädchen sah ihn an. „Es liegt anders, Fritz. Weißt du noch, was ich dir antwortete, als du nach meinem Namen fragtest?"

„Klar", meinte er. „Du sagtest, du heißt Schulze."

„Nein. Ich sagte, ich hieße wie dein Freund Eduard."

„Na, ja! Eduard hieß doch Schulze!"

„Und wie heißt er jetzt?"

Fritz blickte von ihr zum Tisch hinüber. Dann sagte er: „Du bist seine Tochter?"

Sie nickte.

„Und Tante Julchen ist gar nicht deine Tante?"

„O nein", sagte die Kunkel. „Ich bin die Hausdame. Das genügt mir."

„Mir auch", sagte Hagedorn. „Keiner war der, der er zu sein schien. Und ich Kamel habe alles geglaubt. Ich bin sehr froh, daß Sie nicht die Tante sind. Ich habe schon einen Freund, der mein Schwiegervater wird. Und meine kommende Frau ist die Tochter meines Schwiegervaters, nein, meines Freundes. Und mein Freund ist mein Chef."

Sie setzten sich zu Tisch.

„Was gibt's denn?" fragte Tobler.

„Nudeln mit Rindfleisch", sagte die Kunkel.

Als sie nach dem Essen beim Kaffee und Kognak saßen, klingelte das Telephon. „Eduard", rief Fritz. „Schmeiße den Portier und den Direktor nicht hinaus!"

„Warum hat er dann das Hotel kaufen lassen?" fragte die Kunkel.

Der Geheimrat stand am Telephon. „Guten Abend, Tiedemann. Ja, wegen des Hotels. Nun und? Was? Der Besitzer will es nicht verkaufen? Zu keinem Preis? Nur mir nicht? Ja, warum denn nicht?"

Der Geheimrat war erstaunt. Plötzlich lachte er laut, legte den Hörer hin, setzte sich und lachte weiter.

„Warum kannst du das Hotel nicht kaufen?" fragte Fritz.

„Weil es schon mir gehört", sagte der Geheimrat.

Fragen

Warum konnte Herr Tobler Fritz nicht die Wahrheit sagen?

Wann erfuhr Herr Hagedorn, daß Herr Schulze und Herr Tobler ein und dieselbe Person waren?

Konnte Fritz Herrn Tobler vergeben?

Welche anderen Bekannten traf Herr Hagedorn?

Was tat Herr Hagedorn, als er Hilde sah?

Warum konnte Herr Tobler nicht das Hotel kaufen?